国王陛下の

鍼灸師

KOKUOH-HEIKA no SHINKYUSHI

北川 毅

GB

Do you know Jordan?

ヨルダンを知っていますか？

親日国で知られ、「中東の優等生」とも呼ばれるヨルダン。映画『アラビアのロレンス』の舞台として、また『インディ・ジョーンズ／最後の聖戦』のロケ地としても知られる美しい国を写真でめぐる——。

左頁:アブドッラー２世・イブン・アル・フセイン国王／左上:ラーニア王妃／左下:アブドッラー２世国王は「戦う国王」とも称される／右上：２男２女とともに撮影された家族写真／右下：2023年６月に挙式した皇太子夫妻

royal family

ロイヤル・ファミリー

ヨルダン・ハシェミット王国の首都・アンマンの街並み。旧市街には２世紀に建造された円形劇場のほか、シタデルの丘にはマルクス・アウレリウス・アントニヌス帝が命じて造らせたといわれるヘラクレス神殿がある。また、イエスが洗礼を受けたワディ・ハラールには、多くのキリスト教徒が訪れる。

Amman

アンマン

Aqaba

アカバ

ヨルダン南端に位置するアカバは、国内で唯一、海に面した一大リゾート地。世界屈指のダイビングスポットで、2019 年には 19 の軍用兵器が展示された「水中軍事博物館」が開館。ガラス瓶に着色された砂を流し込み、特殊な棒を使って絵柄を作っていくサンドボトルのショップも無数にある。

Petra

ペトラ

アカバ湾と死海の間に位置する世界遺産・ペトラ。その遺跡群は『インディ・ジョーンズ／最後の聖戦』の撮影地としても知られる。暗く狭い渓谷・シークを抜けた先に、宝物殿として知られるエル・カズネがそびえ建つ。

Dead Sea

死海

イスラエルとの国境に位置する、世界一有名な塩湖。身体が自然と湖面に浮かぶほど塩分濃度が高く、ミネラルを多量に含むのが特徴。堆積した泥土は「天然の泥パック」として効果が認められており、沿岸には泥土入りの壺が置かれていて無料で利用できる。

映画『アラビアのロレンス』が撮影されたワディ・ラムは、砂岩と花崗岩でできた砂漠で、別名「月の谷」とも呼ばれる。東京23区がすっぽり入る広大な砂漠の周辺には、有史以前から人々が生活していた痕跡が数多く残されており、岩壁からは、約2万5千の彫刻、約2万の碑文が見つかっている。ロッククライミングに適した岩山も数多いことから、最近ではロッククライマーの聖地としても人気が高まっている。

Wadi Rum

ワディ・ラム

日本でもなじみのあるフムスやケバブ、ファルファラ（ひよこ豆のコロッケ）、シシ・トゥク（アラブ風焼き鳥）のほか、ホテルでは和食やイタリアンも楽しめる。先住民族ベドウィンの料理としては、大きな鍋に焼けた炭と一緒にラム肉や鶏肉、ハーブ、野菜などを入れ、蓋をして砂の中に埋め、低温調理した「ザルブ」が有名。ヨルダンではワインも生産されており、オリジナルの銘柄「セント・ジョージ」は日本でも楽しめる。

Do you knowJordan?
food
食
SAINT GEORGE

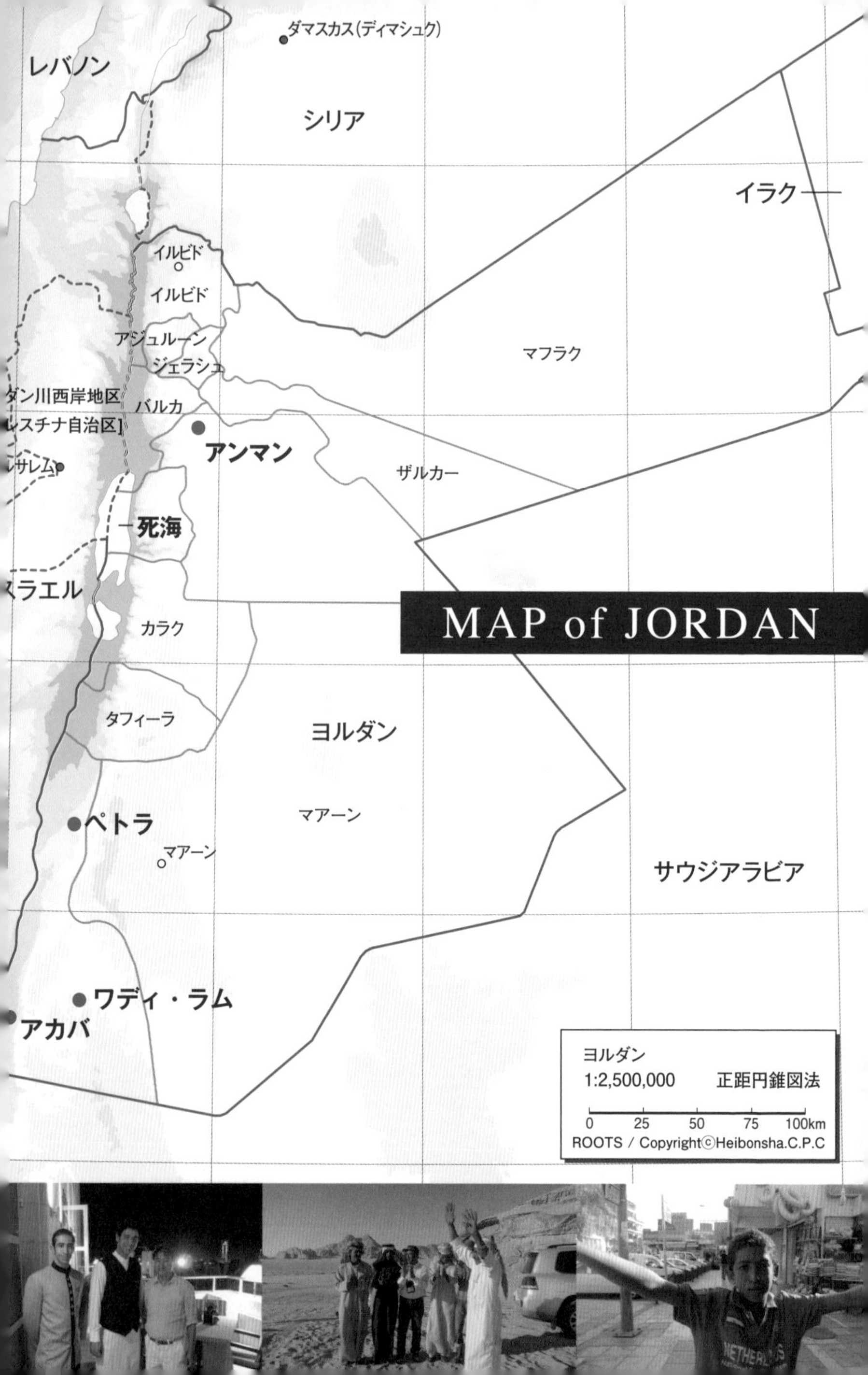
ダマスカス(ディマシュク)
レバノン
シリア
イラク
イルビド
イルビド
アジュルーン
ジェラシュ
マフラク
ダン川西岸地区
バルカ
レスチナ自治区]
アンマン
ザルカー
死海
スラエル
MAP of JORDAN
カラク
タフィーラ
ヨルダン
マアーン
ペトラ
マアーン
サウジアラビア
ワディ・ラム
アカバ
ヨルダン
1:2,500,000
正距円錐図法
0
25
50
75
100km
ROOTS / Copyright©Heibonsha.C.P.C
NETHERLANDS

contents

introduction

私の職業は鍼灸師です。東京の港区に「ＹＯＪＯ ＳＰＡ」という健康と美の増進施設を開業して、今年（２０２３年現在）で26年になります。私は、美容を目的とした鍼灸である「美容鍼灸」という分野では、世界的に第一人者として認知されていますが、元来は、鍼灸を専門とする治療家であり、２０１０年頃から、日本国内だけでなく、世界各地で鍼灸の施術を行ってきました。そして、２０１２年に、鍼灸治療を通じて、私は、ヨルダン（正式名称：ヨルダン・ハシェミット王国）の元首であるアブドッラー2世・イブン・アル・フセイン国王陛下にはじめてお会いしました。以来、11年間にわたってご交流いただき、ヨルダンにも、これまでに３度お招きいただいています。

ヨルダンでの滞在経験を通じてはじめて知ったことは、自分を含めた多くの日本人が、ヨルダンという国のことを何も知らないということです。そして、最も重要なのは、日本にとっても、イギリスやアメリカなどの西洋諸国にとっても、中東で何かが起きた場合に、最も頼れる「友」はヨルダンであるということです。

事実、２０１５年に、イスラム国に日本人２名が拘束され、２億ドルの身代金が要求された「イスラム国日本人人質事件」が起きた際にも、イスラム国との交渉手段を持たない日本政府が、人質の早期解放に向けて頼ったのはヨルダンでした。私は、ちょうどこの事件が起きてから終結するまでの期間ヨルダンに滞在して、毎日、王宮でアブドッラー2世国王陛下にお会いして、鍼灸の施術を行っていました。元首として直接政治に携わっておられる陛下が、日本人人質の早期解放に向けて、自ら多大なご尽力を賜られておられたことを、私は自分の目で見てきました。

アブドッラー2世国王陛下は、人としても、一国の元首としても、とても素晴らしい方です。そして、中東には紛争地域も少なくない中で、ヨルダンは、美しく、安全で、平和な国であり、訪れる度に、魂を揺さぶられるような感動を体験します。そのため、私は、いつしか、中東のネガティブなイメージを払拭し、日本人の皆様に、アブドッラー2世国王陛下とヨルダンの素晴らしさを広く知っていただくことが、自分の使命であろうと考えるようになりました。本書を執筆したのも、それが一番の理由です。

皆様は、中東に対してどのようなイメージをお持ちでしょうか？

「イスラム教」「砂漠」「石油」など、また、「紛争」「テロ」など、ともすると、命の危険を感じるようなネガティブなイメージもあるのではないでしょうか？　しかし、実際にヨルダンを訪れると、そんな危険なイメージは完全に払拭され、夢のように素晴らしい非日常を体験することになるでしょう。

ヨルダンは、中東のほかの国々と異なり、石油などの天然資源に恵まれてはいません。そんなイメージはあまりないかもしれませんが、ヨルダンが外貨を獲得している主要な産業は、実は「観光」です。「インディ・ジョーンズ」が撮影された「ペトラ遺跡」、「アラビアのロレンス」が撮影された「ワディ・ラム砂漠」、体が自然に浮遊する「死海」など、ヨルダンには、美しく独特の魅力を持つリゾートや観光スポットがいくつもあり、世界中から大勢の観光客が訪れています。

ヨルダンの人口は1114・8万人（2021年／世界銀行調べ）。もともとヨルダン国民は、半数以上が中東戦争を逃れて移住したパレスチナ難民やその子孫で、2003年から始まったイラク戦争や2011年に勃発したシリア内戦により、イラク人やシリア人が大量にヨルダンに流入したことで、さらに人口が急激に増加しました。2000年の人口は約480万人でしたから、20年あまりで人口が2倍以上に増加した計算になります。

国土はちょうど北海道ほどの大きさです。ヨルダンの宗教は、人口の93パーセントがイスラム教徒、7パーセントがキリスト教徒他です。それでもヨルダンには、洗礼者ヨハネによってキリストの洗礼が行われ、キリスト教発祥の地とされている「キリスト洗礼の地」や「ヨルダン川」などのキリスト教の重要な聖地があるため、世界中の数多くのキリスト教徒が巡礼に訪れています。ヨルダンは、このような観光立国であることから、中東諸国の中では宗教に寛容な国であり、イスラム教徒とキリスト教徒が争うことなく平和に共存しています。

中東の強国や紛争地域であるイラク、サウジアラビア、シリア、イスラエルに周囲を囲まれていますが、ヨルダン自体は、政治的に安定した平和な国で、治安も良く安全な国です。近隣諸国が戦争や紛争を繰り返しているのに対し、ヨルダンは「中東の優等生」とも言われるほどの国で、ヨルダン政府は、周辺地域での戦争や内戦から逃れてきた人々を寛容に受け入れ、ヨルダン国民と同様に、教育や保健医療などの公共サービスを提供しています。

ともあれ、私たちが、観光客として外国を訪れる場合に、治安と安全はとても重要な条件です。そして、外国からの観光客が多いこともあり、ヨルダンでは、どこへ行っても、たいていは英語が通じます。中東には、「治安が良い」「安全」「英語が通じる」「観光地」というイメージはおおよそないかもしれませんが、ヨルダンは、実際に、とても安全で観光をしやすい国なのです。また、中東地域の平和と安定においても、ヨルダンは重要な役割を果たしていることが認められています。

本書をご一読いただくことで、ヨルダンに対するイメージが一変する方も少なくないでしょう。全ての日本人の皆様に、ぜひ、一生に一度は実際にヨルダンを訪れていただき、全身と魂でヨルダンの魅力を体験していただきたいと願っております。

北川 毅

※本書における見解は著者によるものです。ヨルダンの公的機関、もしくは民間団体の見解を反映するものではありません

chapter 1

国王陛下は鍼灸がお好き

お招きはいつも突然に…

２０１４年12月初旬——夕刻に仕事関係の会食をしていると、携帯電話が鳴った。表示を見ると、それはどこか海外からの着信だった。

「ちょっと失礼します。」

そう言って、店の外に出て電話に出ると、それはヨルダン王宮府の職員からの電話だった。

「国王陛下があなたの鍼灸の施術をご所望されていらっしゃいます。詳細につきましては、Eメールをご送付しましたのでご確認ください。」

国王陛下とは、ヨルダン王国の元首、アブドッラー2世・イブン・アル・フセイン国王陛下である。そして、私の職業は鍼灸師。東京の港区で開業して18年になる（２０１５年当時）。

翌日、メールを確認すると、２０１５年１月27日に入国して2月４日に出国する予定となっていた。しかし、私には、2月１日に東京で鍼灸関係の講習会を行う予定が入っていたため、日程変更を依頼するメールを返信したのだが、数日後に、日程が変更されていないままのEチケットがメールで送付されてきた。そこで、再度、日程変更を依頼するメールを送信すると、ヨルダン王宮府の職員から携帯電話に電話がかかってきた。以前にヨルダンを訪問した際に、私の世話をしてくれた面識のある人物だ。

実は、国王陛下からのご招聘で、私がヨルダンを訪問するのは、これで2度目となる。はじめて訪問したのは2012年9月。2年余り前のことだ。

「1月30日は国王陛下のお誕生日で、国王陛下は当日に鍼の施術をご所望していらっしゃいます。だから、日程の変更はできません。来ますよね？」

国王陛下のご要望だからなのか、私と気心が知れているということもあって、強気に言ってくる。それにしても、国王陛下が、ご自身のお誕生日に、鍼の施術をご所望されていらっしゃるとは、思いもよらなかったことだ。私にとっては、日本人としても、鍼灸師としても、これ以上あり得ない名誉であり、鍼灸師人生における「奇跡」というべき出来事である。したがって当然、日程変更もあり得ない。

「これは日本国民として、鍼灸師としての使命だ。」

そう勝手に思い込んだ私は、早速、主催者に事情を説明してセミナーの日程を変更してもらい、ご依頼通りの日程でヨルダンに行くことを決めた。ところがそのヨルダンで、歴史的な「大事件」に遭遇することになろうとは、この時はまだ知る由もなかった。

国王陛下との出会い

私がヨルダン王国のアブドッラー2世・イブン・アル・フセイン・ヨルダン・ハシェミット王国国王陛下（His Majesty King Abdullah II Ibn Al Hussein, King of the Hashemite Kingdom of Jordan）にはじめてお会いしたのは、２０１２年4月のことだ。国王陛下に、私の鍼灸の施術を薦めてくれた人がいて、その日、私はヨルダン王宮府より国王陛下への鍼灸の施術のご要望を頂戴したのである。

私の職業には守秘義務があるため、詳しいことを述べることはできないが、それは海外の某国のリゾート地での突然の予期せぬ出来事だった。そのため、この時、アブドッラー2世国王陛下に関する予備知識は全く持ち合わせていなかった。そして、「国王陛下」と呼ばれるお方に鍼灸の施術をさせていただくのは、さすがにはじめての経験である。ヨルダン王国のアブドッラー2世国王陛下とは、一体どのようなお方なのであろうか？

chapter 1
国王陛下は鍼灸がお好き

✸

私は、予定の時間より少し早めに、お待ち合わせ場所のレセプションのロビーにお迎えに上がった。しかし、そこにはまだ、アブドッラー2世国王陛下らしき人物の姿はなかった。

「まだお見えになっていないのですね？」

そうレセプションの女性に尋ねると、「あちらの方です。」との返答。見ると、そこには普段着の男性の姿があった。

白い髭をたくわえた威厳と風格のある年齢を重ねた男性というのが、「国王」に対する私のイメージだった。ところが、アブドッラー2世国王陛下は、想像していた外見よりもはるかにお若かった。そして、普段着でくつろいでおられたため、私は、その人物が国王陛下であるとは思いもしなかったのだ。

「おはようございます。」

「おはようございます。あなたは日本から来たのですよね。今、日本はちょうど桜の時期ですよね。私は、昔、従兄弟と一緒にバイクに乗って、九州を周ったことがあるのですよ。」

ネイティブ並みに流暢なクィーンズ英語だった。そして、初対面であるにもかかわらず、アブドッラー2世国王陛下には、全くバリアがなかった。そして、私には、陛下が、ご自身が親日家であるということを、私に伝えようとしてくださっておられるように思えた。

(国王陛下ですよね？　こんなに気さくでよろしいのでしょうか⁇)

そう思いながら、一定の緊張感を持って臨んだ私は、想像と目の前の現実とのギャップが大き過ぎたことで、いささか拍子抜けした。

✸

「申し訳ございません、私には国王様にお会いした経験がございません。何とお呼びしたらよろしいでしょうか？」

はじめて、突然、国王陛下に遭遇したことで、私は、こんな突拍子もない質問をしてしまった。しかし、国王陛下の返答は私の想像の斜め上をいくものだった。

「私の名前はアブドッラーというのだけど、長いからアブと呼んでください。」

(えっ⁉　国王様ですよね？)

頭の中はもはやパニックだ。

「さすがにアブとはお呼びすることなどできません…。」

かくして、アブドッラー2世国王陛下との出会いは、このような会話から始まったのだが、その後、長らくご交流いただくことになろうとは、この時は夢にも思わなかった。

✷

鍼灸と聞くと、古くさくて痛そうな治療だと思われるかもしれない。けれども化学薬物や外科的治療に依存することなく、様々な病気や症状を治すことができるため、現代医学を補完する「相補代替療法」として、今や世界各地で注目を集めている。

近年では、コンピューターやスマートフォンの普及により、眼が疲れたり、頸や肩がこったりする人が増えているが、このような症状に効く薬はほとんどない一方で、鍼灸治療が奏功する場合が少なくない。また、日本国内には推定で約2800万人の腰痛患者がいて、そのうちの約8割が原因不明とされている。そのため、適切な治療法もなく、症状が長引いた場合には、医療機関では抗鬱剤や抗不安薬などが処方されているというのが現状である。頭をぼやかして痛みをごまかしているに過ぎないのだ。実に恐ろしいことである。

鍼灸治療はこのような原因不明の腰痛に対しても奏功する場合が少なくない。けれども残念なことに、その事実はほとんど知られていないのである。鍼灸治療は、知識、技術および経験に依存する部分が大きく、誰が治療するかによって結果は違ってくる。私の場合、原因不明の腰痛であれば、ほぼ1度か2度の治療で治している。

とにもかくにも施術室にご案内をし、陛下のご要望をお伺いした。

「特に悪いところはないのですが、全身的なメンテナンスと調整をお願いします。」

そうご希望された通りの施術を私は行った。

「効果を感じていただくまでにはお時間を要する場合があります。明日以降にご期待ください。」

無事に施術を終えた私は、陛下にそう申し上げて、その日はお見送りをさせていただいた。

★

私は、急いで「国王陛下」という称号について調べた。そして、アブドッラー2世国王陛下についても。「国王陛下」は、英語では"His Majesty"。お呼びかけをする時は、"Your Majesty"だった。「王妃陛下」は"Her Majesty"。お呼びかけをする時は、同じく"Your Majesty"である。まさか、一介の鍼灸師である自分が、一生の内でこのような言葉を口にすることがあろうとは思ってもみなかった。まさしく「事実は小説よりも奇なり」である。

翌日から、国王陛下、王妃陛下をはじめ、続々と施術のご要望を頂戴した。国王陛下直々の口コミ効果である。施術の効果をご評価いただけたのであろうか？ 早速、覚えたての"Your Majesty"が役に立つ。

アブドッラー2世国王陛下

アブドッラー2世国王陛下は、調べれば調べるほど興味深い人物であった。ひと言で形容するなら「実在する現代のヒーロー」だ。イスラム教開祖ムハンマドの血筋を引くハーシム家の出身。1962年1月30日、フセイン1世ヨルダン前国王とムナ・アル・フセイン王妃との間に長男として生まれる。アブドッラー2世国王陛下の母親であるムナ・アル・フセイン王妃はイギリス人である。そのため、アブドッラー2世国王陛下はヨルダン人とイギリス人の混血で、実際にお会いすると青い目が印象的だ。

★

生後間もなく王太子に指名されるが、1965年に叔父のハッサンに王位継承権が移る。1966年、4歳の時にイギリスに留学して教育を受け、1981年に英国サンドハースト王立陸軍士官学校卒業。1983年にはオックスフォード大学で国際政治学を聴講。1987〜1988年にはアメリカのジョージタウン大学大学院修士課程（国際関係論）を履修。イギリスとアメリカでの生活経験が長い。

1993年6月10日、半年間の交際を経てラーニア王妃と結婚。2男2女をもうけている（フセイン王子、イーマーン王女、サルマ王女、ハーシム王子）。1999年1月、フセイン1世国王により、ハッサン王太弟に代わって再び王太子に叙任。父親の崩御に伴い、1999年2月7日ヨルダン国王に即位した。37歳の若さであった。お誕生日が1962年1月30日ということは、1961年1月生まれの私とは1歳違いだ。勝手に親近感を覚えてしまう。

chapter 1 国王陛下は鍼灸がお好き

英陸軍士官学校で訓練を受けた経験から、戦車も戦闘機も操縦することができ、部隊の指揮までできる。即位前は、ヨルダン陸軍に所属し、戦車指揮官、空軍の対戦車ヘリコプター隊戦術教官、特殊部隊司令官などを歴任され、軍人としての豊富な経験から「戦う国王」という異名を持つ。現在は国王としてヨルダン軍最高司令官の地位にあると同時に、政治にも直接携わっておられる。まさしく、日本の戦国武将のような存在である。

✸

2018年に、安倍晋三元内閣総理大臣との首脳会議のために来日された際にも、私は、東京の滞在先のホテルで国王陛下にお会いした。

「陛下、お久しぶりでございます。ご体調はいかがでしょうか？」

「国境付近で軍事演習を行っていました。ヘルメットをかぶって、ずっと重たい荷物を背負っていたので、背中が張っています。」

この時点でも、国王陛下は、実際に自ら軍事演習に参加しておられたのだ。中東の難しい地域に位置しながら、ヨルダンが政治的に安定した平和な国で、治安も良く安全な国として維持されているのは、このような国王陛下のご尽力によるものであろう。

アブドッラー2世国王陛下にまつわるエピソードは少なくない。そして、その多くは、「何でも自分でやらないと気がすまない性格」によるものだ。タクシー運転手、新聞記者、老人などに変装して、国民の生の声を聞く努力をし、変装して訪れた病院の応対について後日注意したこともあるという。日本のテレビドラマの「暴れん坊将軍」や「水戸黄門」さながらである。

乗り物がお好きで、外国の要人がヨルダンを訪れる際には、自らハンドルを握って空港まで迎えに行くことも度々だという。また、ヨルダン政府公用機を自ら操縦して外交先に出向くことも珍しくないともいう。このように、人任せを嫌い、何でも自分からやってしまう性格と行動により、ヨルダン国民はアブドッラー2世国王陛下を強く支持し、敬愛心を持っている。

ラーニア・アル・アブドッラー王妃陛下

chapter 1
国王陛下は鍼灸がお好き

ラーニア・アル・アブドッラー王妃陛下は、「世界一美しい王妃」として世界的に知られる絶世の美女である。そのラーニア王妃陛下にも、この時、はじめてお会いした。

私は、過剰に緊張をするということがほとんどない。前日に国王陛下にお会いした時にも、そこまで緊張することはなかった。しかし、ラーニア王妃陛下にお会いする時だけは、どうしても「緊張感」というものがつきまとう。絶世の美貌というだけではなく、凛としたオーラに圧倒され、自然と心臓が高鳴るのだ。まさか、世界一お美しい王妃陛下にお目にかかれることがあろうなどとは、考えたこともなかったし、施術をする手が震えはしないだろうかと不安になる。

それでもなんとか施術を無事に終え、現地の通貨でお心付けを頂戴した。

ラーニア王妃陛下は、美し過ぎる外見ばかりが取り沙汰されることが多いが、決して外見ばかりのお方ではない。人としても、王妃としても、母親としても、全てが一流のスーパーウーマンである。

クウェートでパレスチナ人医師の娘として生まれ、ニュー・イングリッシュ・スクール、カイロ・アメリカン大学で経営学を学び、イラクによるクウェート侵攻後にヨルダンに移住。

1991年からアンマンのシティバンク、エヌ・エイに勤務された。知人のパーティで国王陛下と出会い、半年間の交際を経て1993年6月10日にご結婚。4人のお子様の母親で、その美貌と知性から「中東一の才媛」と謳われている。母親としては、お子様方に対して、常々、「特権ではないのよ。これは責任なの。」と言ってきかせているという。

✸

そんなラーニア王妃陛下は、「ヨルダン川財団」などの数多くの財団を通じて、国民の生活改善の支援に努めておられるばかりでなく、難民への支援にも積極的にご尽力になり、米フォーブス誌の「世界で最も影響力のある女性100人」に選ばれている。

2010年には、ご自身の経験に基づいて著された英語の絵本『Sandwich Swap』が出版され、2010年5月、米ニューヨークタイムズ紙のベストセラーリストで子ども向け絵本部門の1位になるというヒットを記録した。売り上げは全て、ラーニア王妃が始めたヨルダンの公立学校500校の改修計画を推進するために使われている。『Sandwich Swap』は日本にも上陸し、2010年11月『ふたりのサンドウィッチ』として日本語版も出版された。

『Sandwich Swap』の主人公は、リリーとサルマという大の仲良しの女の子だ。学校では、勉強も、遊びも、食べるのも、何をするのもいつも一緒だったが、ある日、昼食に持ってきた欧米風のピーナツバターのサンドウィッチと中東風のフムス（Hummus）のサンドウィッチというお互いの食べているサンドウィッチが原因で大げんかとなり、些細なことから仲違いしてしまう。ところが、お互いに交換して食べてみることで、2人は、世界には異なる文化が存在することを知り、「平和とは互いの文化を認め合うこと」であることに気付くというもの。ラーニア王妃陛下が5歳だった保育園生活の体験に基づいているとされる。それぞれに異文化を持つ世界の国々と人々が、リリーとサルマのような関係になって欲しいと願う王妃陛下の強い思いが込められていることが伝わる。せっかく日本語版も出版されているので、日本の子どもたちばかりでなく、大人の方々にも、ぜひ、ご一読いただきたいと願う次第である。

国王陛下がヨルダンに帰国される前日、私は、陛下に最後の鍼灸の施術を行った。陛下には毎日のようにお会いしていたので、少し淋しい気分を覚えた。

「陛下、また何かございましたら何なりとご用命ください。どちらへでも参ります。」

施術が終わると、私はそう無意識に口走っていた。

「ありがとう。名刺を持っていますか？」

私は陛下に自分の名刺をお渡しした。

「こちらが私の名刺でございます。この度は、誠にありがとうございました。また、いつでも、何なりとご用命くださいませ。それから、陛下、お気を付けてお帰りくださいませ。」

はじめてのヨルダン出張

２０１２年４月、某国でアブドッラー２世国王陛下にお会いし、帰国してから数ヶ月たったある日、私は、自宅でヨルダン王宮府からのメールを受信した。

「アブドッラー２世国王陛下があなたの鍼灸の施術をご所望されておられます。９月にご家族で2週間ヨルダンに来られることは可能ですか？」

家族と言われても、私には子どもがいないので、家族は妻だけである。そして、このメールに対して「NO」の返事はあり得ない。しかも、このメールには、ありがたいお誘いも添えられていた。

「1週間、国王陛下の鍼灸の施術をお願いして、その後の1週間は王宮府の招待によるヨルダン観光を満喫してください。」

（また国王陛下にお会いできる。鍼灸という仕事に就いてきて良かった！　陛下に名刺をお渡ししておいて良かった。）

私が「鍼灸」という職業に就いていなかったら、この人生の中で、国王陛下にお会いできたことも、また、再会できるということも、決してなかったであろう。そう考えると、あらためて、鍼灸という自分の専門職が誇らしく思えるし感謝である。

こうして、記念すべき人生初のヨルダン出張とヨルダン観光旅行、いや、人生初の中東出張と中東旅行が決まった。正直、中東に対して「観光」というイメージは全くなかったが、観光が主目的ということではないため、さほど気にはしていなかった。しかし、実際にヨルダンを訪れてみると、それが「大きな間違い」であったことに気付かされた。

ヨルダン・ハシェミット王国

出発前、私は予備知識を得るためにヨルダン王国について色々と調べた。「ヨルダン」と言えば「中東にある国」を思い浮かべるが、実際に、中東・西アジアに位置する立憲君主制国家である。「ヨルダン」「ヨルダン王国」は通称であり、正式名称は「ヨルダン・ハシェミット王国」(Hashemite Kingdom of Jordan)。イスラームの預言者ムハンマドの曽祖父ハーシムの子孫の家系であるハーシム家出身の国王が世襲統治する王国である。

「中東」の概念は、物理的に明確な地理的区分によるものではなく、ヨーロッパから見て東に位置する地域を指し示す相対的な概念である。

ヨーロッパから近い地域は「近東」(Near East)、遠い地域は「極東」(Far East)、その間の地域が「中東」(Middle East)である。狭義では西アジアとほぼ同じ地域、広義では中近東に相当する範囲を指す。一方、「西アジア」(West Asia, Western Asia)は、アジア西部を指す地理的区分である。中央アジアおよび南アジアより西側、地中海より東側で、ヨーロッパとはボスポラス海峡、アフリカとはスエズ運河によって区分されている。

国家としては、ヨルダンのほかに、イラン、イラク、トルコ、キプロス、シリア、レバノン、イスラエル、サウジアラビア、クウェート、バーレーン、カタール、アラブ首長国連邦、オマーン、イエメン、アフガニスタン、パレスチナおよびエジプトの一部がここに属す。

ヨルダンの首都はアンマン。公用語はアラビア語であるが、「英語も通用」と公的に公表されている。つまり、英語が一般的に通じるのだ。国土の面積は、日本の約4分の1に当たる8・9万km²で、北海道とほぼ同じ大きさである。

中東と言えば、「戦争」「紛争」「テロ」など、命の危険を感じるようなネガティブなイメージも否めない。実際のところヨルダンは、紛争当事国を含むイスラエル、パレスチナ、サウジアラビア、イラク、シリアと隣接している。イスラエル、パレスチナとは、ヨルダン川と死海が国境である。それでも、ヨルダンの国内の治安は極めて安定しているばかりでなく、近隣諸国からの難民を寛容に受け入れるなど、中東地域の平和と安定においても、非常に重要な役割を果たしている。

ヨルダンに関する予備知識を得るために色々と調べたことで、ヨルダンは治安が良く安全な国で、英語が普通に通じることを知った。外国を訪れる場合に、「治安」と「言語」はとても重要な条件である。

特に、中東の国で「英語が通じる」というのは意外だったが、ヨルダン初心者の私にとっては、とてもありがたいことである。私には、中東＝危険地域というイメージがあったため、未知の中東、未知のヨルダンを訪れることに、最初は不安もあった。しかし、ヨルダンについて調べるにつれ、そんな不安はおおよそ解消されていき、逆にヨルダンを訪問することが楽しみになってきた。

✸

王宮府から送られてきたEチケットは、成田空港発、アブダビ経由、アンマン空港行き。これまで、私は、仕事で世界各地を飛び回ってきたが、中東行きははじめてである。

chapter 1
国王陛下は鍼灸がお好き

アブダビ空港に到着すると、すでにアラビア感でいっぱいだった。お土産屋さんの店頭に置かれていたラクダの置物が印象的だ。中東と言えば、砂漠にラクダ。後日、私は、ヨルダンで本物のラクダに乗ることになるのだが、この時は想像もしなかった。アブダビ空港で、しばし乗り継ぎ便を待ち、搭乗して3時間、私たちはアンマン・クィーンアリア国際空港に到着した。

飛行機を降りると、3人の体格の良い男性が横に並んで待っていて、真ん中のひとりが私の名前が書かれた紙を持っていた。ヨルダン人はとても背が高い人が多い。もともと身長の低い私はどうしても見上げてしまう。「私です。」と伝えて挨拶をすると、パスポートを渡すよう指示された。

「国王陛下がお待ちかねです。」

到着した当日から、王宮で国王陛下と王妃陛下に鍼灸の施術を行う予定となっていた。

空港を出ると、ドライバーを紹介された。

「彼があなた方のドライバーのアハマッド（仮名）です。」

やはり長身の屈強そうな人物だった。そして、それから2週間、私はこのアハマッドと、行動を共にすることになる。

上：アブダビ国際ターミナル1の内部／下：アブダビ国際空港の土産店

車に乗るとアラブの音楽が鳴っていた。あらためて、ここは中東なのだと実感する。しかし、車の中から見る景色には、想像していたような中東感はほとんどない。モダンで清潔感のある都会的な街並みだ。町中のいたるところに掲げられている国王陛下のお写真とアラビア語の看板に中東とヨルダンを感じながら、しばらく走るとホテルに到着した。「フォーシーズンズホテル」だった。ホテルに入ると、ここが世界のどこなのかも、もはやわからなくなる。ここで王宮府の職員から携帯電話を手渡された。「ミッション」を感じる。

「全て王宮府が負担しますので、ホテルの中では何でもお好きなことをなさってください。ただし、国際電話とアルコールのお支払いだけはご自身でお願いします。」

チェックイン時に王宮府の職員にそう言われ、私は単純にアルコールが飲めることに驚いた。実は、ヨルダンの事情を知らない私は、帰国するまでの2週間は、アルコールは一切口にできないものだと勝手に思い込んで覚悟を決めていた。ヨルダンについては事前に色々と調べてはいたが、「アルコール」に関する情報までは得ていなかった。予想外の嬉しい展開だ。

ヨルダンでは、旅行者は自由にアルコールが飲めるだけでなく、意外なことにワインも生産されている。そして、このフォーシーズンズの館内には、和食からイタリアンまで様々なレストランがあり、とても快適に滞在することができた。

部屋でひと休みすると、ホテルに車が迎えに来て、私たちは王宮を目指した。生まれてはじめて、「王宮」というところに足を踏み入れることになったのだ。さすがに広大な敷地である。用意された施術室で準備を整えると国王陛下がいらした。王宮でも、陛下はカジュアルな服装だった。そして、ラーニア王妃陛下とも再会した。

「ここで再会できて嬉しいわ。」

王妃陛下は、そうおっしゃってくださったのだが、相変わらず自動的に緊張する。

✸

施術を終えると、ドライバーのアハマッドが夕食に連れて行ってくれた。ヨルダンの王族や政治家をはじめとする著名人も利用するという高級アラブ料理店の「ファハルッデイン」(Fakhr El-Din Restaurant)だ。１００種類以上のベジタリアン料理と非ベジタリアン料理を含む健康的なメニューを提供しているという。私たちは、このレストランの野外庭園の開放的な雰囲気の中で、食事を楽しませていただいた。ヨルダンではじめての食事。初日から贅沢な夜だ。

前菜から美味しそうなお皿が並ぶ。しかし、問題は、連れて来てくれたアハマッドには、英語が全く通じなかったということ。

「意図的に英語が通じないドライバーが選ばれたのか、それとも本当は通じているのでは？」

そう考えたりもしたが、結局、美味しい料理の詳細は謎のままだ。前菜は、ヨーグルトを使った料理や豆を使った料理が多かった。いずれも美味だ。そして、メイン。肉好きの私には、地元の天然スパイスやハーブをたっぷりと使用して炭火で焼いたダイナミックな特製ケバブが特に美味しく感じられた。ヨルダンは海に接している土地が少なく、ほとんどが内陸の国だが、ここでは魚介のメニューも豊富だった。


このレストランで、はじめて男性用トイレを利用したのだが、ここで想定外の事件が起きた。ヨルダン人仕様なのであろうか。男性用トイレの便器の位置が異常に高い。足の短い私には背伸びをしないと使えないのだ。そして、その後、おおよそどこへ行っても、観光地の男性用トイレの便器の位置は同様に高いことを知った。これからヨルダンに行かれる身長が低い男性は要注意だ。

ホテルに戻ると、翌朝は白衣に着替えてロビーで待ち合わせという指示があった。そして、翌朝から国王陛下と王妃陛下に施術をして、その後は、アハマッドとともに、陛下のご親族、

上：フォーシーズンズホテルの1階／下：フォーシーズンズホテルで宿泊した部屋

ご友人、側近の方々を訪ね回って施術をする出張鍼灸生活が始まった。

訪問先の中には、これが住居かと思うようなとても大きな建物もあった。最も肝を冷やしたのは、ヨルダン軍の司令官に施術を行った時だ。

車のシートに身をゆだねていると、グリーンベレーを被り、迷彩服に身を包んで、機関銃を手にした兵士が何人も立っている大きなゲートに着いた。アハマッドが兵士のひとりに私のパスポートのコピーを見せて、このゲートを通過する。まるで、軍事施設に連行されているような雰囲気だ。

(施術に失敗したら帰ってこられないのかな?)

国王様のご依頼による派遣であるから、まさか帰れないわけはないのだろうが、生まれてはじめて大勢の緑のベレー帽をかぶった軍人や機関銃に囲まれてしまったことで、そんな一抹の恐怖が頭をかすめる。

(国王陛下、このようなお話は伺っておりません……)

そう心の中で思う。

✸

建物に入ると司令官の部屋まで通され、奥からいかにもなオーラを身にまとった司令官が現れた。

「私は国王陛下に17年間お仕えしています。国王陛下のお悩みは自分の悩みです！」

勢いよくご挨拶くださった。怖いなぁと思いながら、体調を伺う。

「そうなのですね。ところで、どうなさいましたか？」

「耳鳴りがひどいのです。テレビの音量を最大にしないと夜も眠れません。先生、治せますか？」

銃器の使用が原因だと思われるということだった。ヨルダン人には普通に英語を話す人が多い。これまで出会ったヨルダン人は、いずれも流暢な英語を話し、こちらの司令官もとても流暢に英語を話される。英語を話さないのは担当ドライバーのアハマッドだけだ。

（えっ、逆にテレビの音量を最大にしたら普通は眠れないでしょう⁉）

驚きながらそう思った。今回の国王陛下からのご招待は、王宮府から直接いただいたもので、日本の外務省を通ってはいない。つまり、日本の外務省は私の行動を把握してはいない。だから何が起きても自己責任だなどと考える。そして、この状況では、治せるとも治せないとも答えることはできない。さらに、私は国王陛下から派遣された治療家であるから「わからない」とも言えない。

（本当に帰れないかもしれないなぁ。まぁでも、やるしかないか……）

司令官の気迫に押されながらも、腹をくくりなおすと、自然に出てくる言葉はこれしかなかった。

「最善を尽くさせていただきます！」

✸

施術を終えると、司令官のご機嫌がよろしかった。

「効果が出るまでにはお時間がかかる場合がありますので、様子を見られてください。」

そう申し上げて、胸をなで下ろした。

（良かった…無事に帰れる！）

しかし、2日後にまた司令官の施術を行うことが決まっていた。ドキドキである。そして2日後、またあの同じゲートを通って司令官を訪れた。司令官は嬉しそうに出迎えてくださった。

「あの日は耳鳴りが全くせずによく眠れました。本当にありがとう。翌日にはまたぶり返しましたけど、とても嬉しかった。滞在中に、ぜひ、私の自宅に遊びに来てください。」

なんとヨルダン軍の司令官の自宅にご招待いただいたのだ。鍼灸の施術以外でヨルダン人の自宅を訪問するのははじめての経験だ。この日も無事に施術を終えて、数日後にご自宅を訪問。そこに見たのは、気迫に満ちた軍人ではなく、大勢の子どもたちに囲まれた優しいパパの姿だった。

このような日々を過ごしながら、アハマッドとの出張治療生活も1週間近くなり、ヨルダンでの生活にも慣れてきた。妻はと言えば、一日中ホテルで待機しているので、さすがに退屈になってきたようだ。

出張治療では、毎日ヨルダンの重鎮方にお会いするため、「国王陛下のミッション遂行」といった気分になり、一層気合も入る。アハマッドは、もはやこのミッションの「相棒」となった。

✸

ある日、昼食の休憩時に、アハマッドが上着を脱ぐと、腰に拳銃がぶら下がっているのが見えた。またまた物騒だなぁ。

「どうして拳銃を所持しているの？」

上：担当ドライバーのアハマッド（仮名）／下：アハマッドが携帯する拳銃

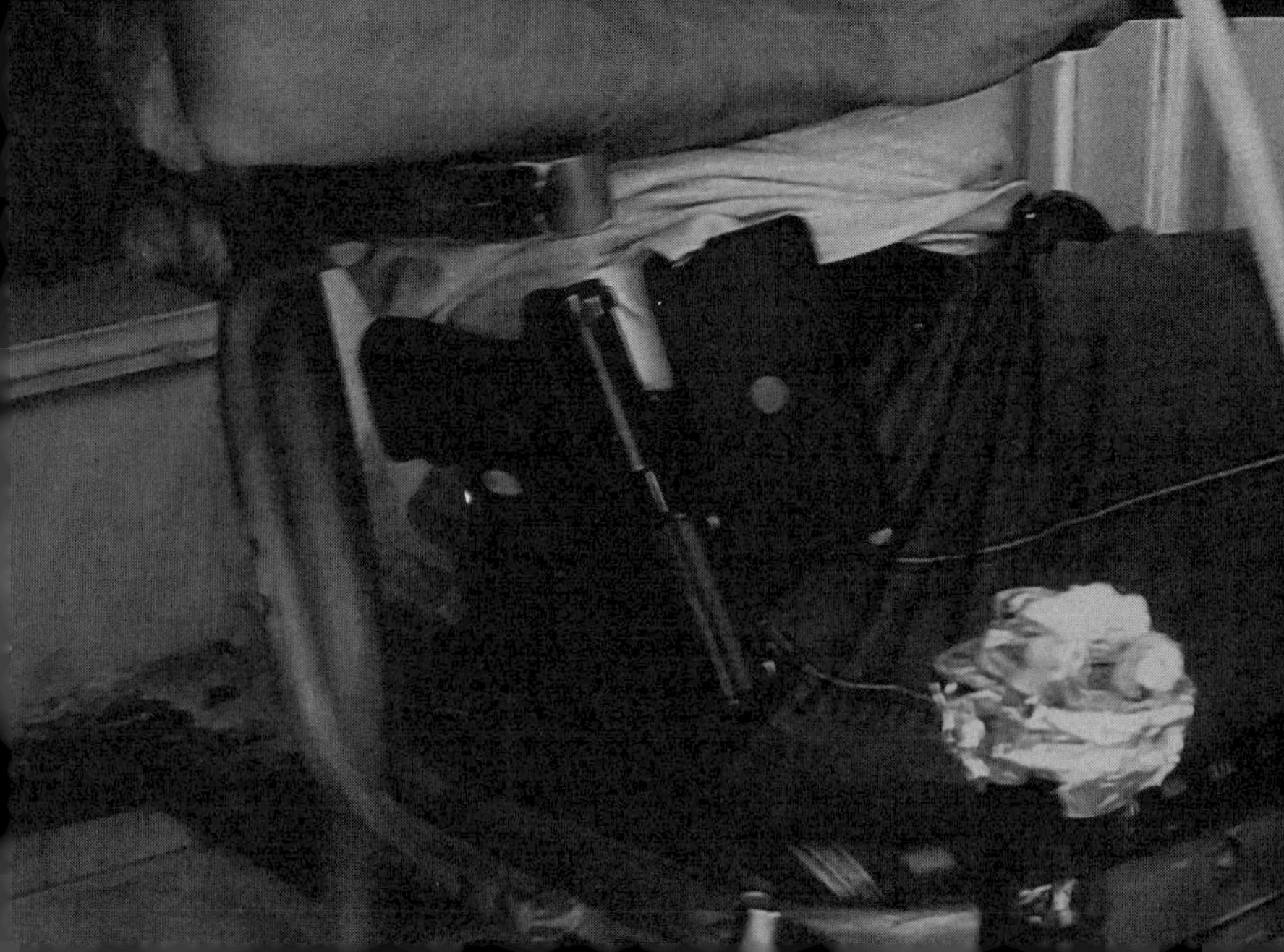

chapter 1
国王陛下は鍼灸がお好き

私はアハマッドに尋ねようと試みたが、相変わらず、アハマッドには英語が通じない。しかし、盛んに、「ＶＩＰ、ＶＩＰ」と言っている。どうやら「ＶＩＰのため、ＶＩＰを担当する時は所持させられる。あなたＶＩＰ。」と言っているようだ。つまり、ＶＩＰの運転を担当する時には拳銃の所持を義務付けられていて、私がＶＩＰだと言っているようだ。そして、ＶＩＰを担当していることが、とても誇らしい様子だった。

軍服を着た写真を私に見せながら、何か話を続けるのだが、やはりよくわからない。どうやら、彼は軍人で、単なるドライバーではなく、運転と護衛を兼ねた軍人だということらしい。こうして、２０１２年のはじめてのヨルダン出張では、このアハマッドとともに、１週間の任務を無事に遂行することができた。国王陛下は、体調がよろしいと喜んでくださった。明日からは、いよいよ、ヨルダン王宮府プロデュースによる１週間のヨルダン観光である。

✷

中東と言えば「産油国」「オイルマネー」というイメージがあるが、ヨルダンは、中東のほかの国々と異なり、石油などの天然資源に恵まれてはいない。そして、これも事前に調べて知り得たことだが、ヨルダンが外貨を獲得している主要な産業は「観光」である。

ヨルダンには、映画『インディ・ジョーンズ／最後の聖戦』が撮影された「ペトラ遺跡」、『アラビアのロレンス』が撮影された「ワディ・ラム」、体が自然に浮遊する「死海」など、美しく独特の魅力を持つリゾートや観光スポットがいくつもあり、世界中から大勢の観光客が訪れている。

２０１２年9月、１週間のミッションを無事に終えた私たちは、ヨルダン王宮府からのご招待により、はじめてこれらのリゾートや観光スポットを訪れ、それぞれの場所における特別な体験を堪能させていただいた。そして、ヨルダンが実は安全で英語が通じる観光立国であることを、身をもって知った。

✸

それから2年余りが過ぎた２０１５年1月。私は再びヨルダンを訪れることになった。そして、今回の最大のミッションは、国王陛下のお誕生日をお祝いする鍼灸の施術だ。

chapter 2

そして、
事件は起きた

イスラム国日本人人質事件

2015年1月、私は、2度目のヨルダン出張の準備に余念がなかった。国王陛下の施術に忘れ物はあり得ない。私は、チェックリストを作って、入念に支度を進めていた。

ところが、出発の直前に、「事件」は起きた。

イスラム国に日本人2名が拘束され、2億ドルの身代金が要求されたのだ。世間を騒がせた、あの「イスラム国日本人人質事件」である。拘束されたのは、民間軍事会社社長の湯川遥菜さんと、フリージャーナリストの後藤健二さん。そして、私の出発予定の直前の1月20日、2人を人質に72時間の期限で2億ドルの身代金を要求する動画が投稿サイトに掲載された。日本政府はテロリストとは交渉しないとしてこれを拒絶し、1月24日には湯川さんが殺害された。

新聞各紙は、連日、一面で本事件に関連するニュースを大きく報道した。新聞によると、イスラム国との交渉手段を持たない日本政府は、人質の早期解放に向け、ヨルダン政府に協力を要請したという。

湯川さんが殺害された1月24日、イスラム国はヨルダン政府に対し、後藤健二さん解放の交換条件を出した。2005年にアンマンで自爆テロ未遂を起こし、死刑判決を受けて服役していたサジダ・リシャウィの釈放を要求したのだ。そして、1月27日午後、24時間以内にリシャウィを解放しなければ、人質であるヨルダン軍のパイロット、ムアズ・カサースベ中尉を殺害すると脅迫した。

✷

ムアズ・ユスフ・アル・カサースベ（Muath Safi Yousef Al-Kaseasbeh）中尉は、ヨルダン空軍中尉、操縦士である。ヨルダン西部のカラクの有力部族の出身で、2009年、ヨルダン王立空軍学校を卒業。2012年に空軍のパイロットとなり、空軍基地でF－16戦闘機の飛行隊に所属していた。

一方、米国主導の対イスラム国有志連合は、2014年8月以来、イスラム国に対する空爆を続けており、ヨルダンもこの空爆に参加していた。

2014年12月24日、この有志連合がイスラム国が「首都」と称するシリア北部ラッカ付近を空爆した際、カサースベ中尉は、F-16戦闘機で空爆に参加。操縦していた戦闘機が墜落し、同機から脱出したところをイスラム国に拘束され、人質あるいは捕虜となった。

✸

2005年アンマン自爆テロは、2005年11月9日、アンマンの「グランド・ハイアット・ホテル」、「ラディッソンSASホテル」（現在はランドマーク・ホテル）、「デイズイン」の3つのホテルで起きた連続爆弾攻撃であり、ホテルの外国人客らの大量殺害を狙った爆弾テロと見られている。犯行声明は出ていないが、複数標的を同時に狙った手口などから、国際テロ組織「アル・カーイダ」系勢力が関与した可能性が高いと見られている。

ヨルダンは親米路線を採っており、イラク復興支援にあたる米英政府、ビジネス関係者の拠点となっていたことが、3つのホテルが犯行現場となった理由であると見られている。つまり、中東においてアメリカと近しい関係であったことが、ヨルダンがテロの標的になった理由であると考えられているのだ。事実、イスラム国日本人人質事件が起きた頃、アブドッラー2世国王陛下は頻繁に、自らアメリカに足を運ばれていたことを私は知っている。

最も大勢の人が犠牲となったラディッソンＳＡＳでの爆発は、約９００人のヨルダン人とパレスチナ人が祝福する結婚披露宴が開催されていたフィラデルフィア大宴会場で起こった。

２人の自爆犯（アリ・フセイン・アリ・アル・シャマリとサジダ・ムバラク・アトゥロウス・アル・リシャウィの夫婦）がフィラデルフィア大宴会場に侵入し、サジダ・アル・リシャウィは、夫が自爆した後に爆発ベルトを起爆しようとしたが、失敗して生き残った。この爆発によって花婿と花嫁の父を含む38人が殺害されている。

11月13日、アブドッラー2世国王は、爆弾ベルトの爆発に失敗した4人目の自爆未遂者と考えられているリシャウィの逮捕を発表した。

再びのヨルダン

私を招聘してくださったアブドッラー2世国王陛下は、直接政治に携わっておられる。ということは、私は、この事件の中心人物からヨルダンに招聘され、現地でお会いするという状況になったことを意味していた。

（こんな事態になってしまっては､国王陛下が鍼灸をおやりになる時間などはないだろうなぁ。キャンセルだろうなぁ。）

そんなことを考えたのだが、出発の当日まで、ついにキャンセルの連絡は来なかった。王宮府から送られてきたEチケットは、成田空港発、アブダビ経由、アンマン空港行き。前回と同じだ。アンマン国際空港に到着し、飛行機を降りると、3人の体格の良い男性が立っていて、真ん中のひとりが私の名前が書かれた紙を持っていた。見覚えのある人物だ。挨拶をすると、パスポートを渡すように指示された。

「国王陛下がお待ちかねです。本日の夕方に施術をお願いします。」

何と、この状況の中で、到着した早々、王宮で国王陛下に鍼灸の施術を行う予定となっていたのだ。私たちは空港を後にして、ドライバーの車でフォーシーズンズホテルに向かった。

ホテルに入ると、前回とは状況と雰囲気が全く違っていた。ロビーは報道陣と見られる日本人で埋め尽くされており、騒然とした雰囲気だ。遠くアンマンまで来たのに、そこでは日本語が飛び交い、皆、ノートパソコンを叩いている。そして、フォーシーズンズホテルのロビーは、日本の報道陣の現地の本部と化していた。やはり、緊急事態下なのだ。アンマンの現地対策本部を指揮する中山泰秀外務副大臣（当時）も、このホテルに宿泊しているのかもしれない。

chapter 2

そして、事件は起きた

✸

私は、日本人たちの間をくぐり抜け、チェックインを済まして部屋に入った。そして、無事に到着したことを知らせるメールを妻に送ると、すぐさま返信が来た。

「国王様が、頻繁にテレビに出演していらっしゃいますよ。」

まさしく、これからお会いするお方である。

しばし休憩をして、施術用の白衣に着替え、ロビーでドライバーを待っていると、日本人たちから訝しそうな顔で見られた。これから私がどこに行ってどなたにお会いするのか、彼らには知る由もない。

迎えの車が来て、私たちは王宮を目指した。フォーシーズンズホテルのロビーがあれだけのことになっているのとは対照的に、2年ぶりに車内から見たアンマンの町の様子は2年前と変わらず懐かしかった。中東で「懐かしい」という想いを抱くというのも、考えてみれば不思議なことだが、あれは、確かに「帰ってきた。」という感覚だった。

★

王宮内に用意された施術室で準備を整えると国王陛下がいらした。間違いなく時のお方であったが、私には、ただ懐かしく、再会できたことが嬉しかった。

「陛下、お久しぶりでございます。お元気でいらっしゃいますでしょうか？」

「元気です。あなたも元気ですか？　よく来てくださいました。」

当たり障りのないご挨拶を交わす間も、自分が日本人なだけに、極めて申し訳ない気分になり、気まずい状況だった。

(何か申し上げるべきか？　いや、ここは避けておいた方が無難だろう。)

国王陛下のご体調とご要望をお伺いして、初日の鍼灸の施術を行った。

陛下は、何か特別なご病気や症状があるということではなく、お体のメンテナンスのために全身的な施術をご希望された。そして、初日は、特別な会話もなく、無事に施術を終えてホテルに戻った。

chapter
2
そして、事件は起きた

アカバと離宮

翌日、1月28日——午前中に再び王宮の施術室で、国王陛下の施術を行った。

「陛下、おはようございます。ご体調はいかがでしょうか？」

「かなり良いですね。」

そして、また国王陛下の施術を無事に終えると、ドライバーの車で、「アカバ」（Aqaba）に向かった。

アカバはヨルダン唯一の沿岸都市で、最南端に位置し、アンマンからは車で4時間ほどの場所にある。紅海に通じ、ヨルダンとサウジアラビア、イスラエル、エジプトを結んでいるため、ヨルダンにとって、アカバは港湾として海上交通の要所であり、ヨルダンの海洋貿易の一大拠点である。その一方で、アカバには、ヨルダン唯一のビーチリゾートという一面もあり、観光客向けのリゾートホテルが建ち並ぶ。ヨルダン随一のリゾート地なのである。

気温は年間を通して20度を下回ることがなく、温暖で雨も少ないことから、ヨルダンでリゾート地と言えば、死海かこのアカバとされている。アカバには、多くの外国人観光客も訪れており、非常に開放的な雰囲気の国際的なリゾート地だと言えるだろう。

私は、2年前にもアカバを訪れているのだが、今回、アカバに来たのは、ここに王宮の離宮があるからである。国王陛下は、お誕生日をアカバの離宮で過ごされ、こちらで鍼灸の施術を受けられることをご所望されたのだ。

✸

アカバ湾に通じている紅海のエジプト沿岸は、世界的にも有名なダイバー憧れの聖地として知られている。そのエジプトに比べると、ダイビングスポットとしてのアカバの知名度は低いが、アカバには知る人ぞ知る20ものダイビングスポットがあり、エジプトに劣ることはないとされる。実際、アカバのダイビングの環境は、年間を通じて暖かく、海水の透明度が高い。シュノーケルも楽しめる。

また、アカバには数多くのダイビングセンターがあり、英語が通じるため、スキューバダイビングのライセンス取得を目的として訪れる日本人も少なくないそうだ。インストラクターは親日家が多く、日本人に対してとても親切だとも聞く。

そして、ここでのダイビングの最大の魅力は、保護された海洋公園の熱帯の海に生息する「生きたサンゴ礁」である。その種類は350以上で、中には紅海にしか存在しないサンゴもあり、希少な黒サンゴも見られるという。海岸線近くにも美しいサンゴ礁が広がっていて、泳ぎが不得意な人でも楽しめる。また、魚類は510種以上が生息する。

アカバで最も有名なダイビングスポットの1つは、1985年に、最大深度26メートルに沈没したレバノンの貨物船「シーダー・プライド号」だ。また、2019年7月には、使われなくなった軍用兵器を、アカバ付近の水深28メートルの海底で展示する同国初の「水中軍事博物館」が開館した。ダイビングスポットを兼ねたこの水中軍事博物館には、数台の戦車、救急車、軍事用クレーン、兵員輸送機、対空砲台、銃火器類、戦闘ヘリなど、19の軍用兵器が展示されており、サンゴ礁のそばで、戦闘陣形を模して配置されているそうだ。より多くのヨルダンとアカバへの観光客誘致につながることが見込まれて開館されたという。

✸

上段：アカバ港のサンセット／中段左：アカバは世界有数のダイビングスポットでもある／中段右：水中軍事博物館／下段：アカバのビーチ

私たちがアカバで過ごしていたちょうどこの頃、日本では人質の後藤健二さんの安否が最大の関心事となっていた。イスラム国の犯行組織が設けた24時間の対応期限は、日本時間の1月28日深夜とみられていたからである。つまり、今日だ。

安倍晋三総理（当時）は参院本会議で「あらゆるチャンネルを最大限に活用し、後藤健二氏の早期解放に向けて全力を尽くしている」と述べ、「極めて厳しい状況の中で後藤さんの早期解放に向けヨルダン政府に協力要請を行ってきた」と強調。岸田文雄外相（当時）は、アンマンの現地対策本部を指揮する中山泰秀外務副大臣（当時）に対し、ヨルダン政府への働きかけを続けるよう指示したことを明らかにした。

このように、日本政府が、後藤さんの早期解放に全力を尽くすのは当然のことだ。しかし、ここで私たち日本人が忘れてはならないのは、イスラム国との交渉手段を持たない日本政府が、ヨルダン政府に協力を要請したことで、ヨルダン政府を、不測の事態に陥らせてしまったということである。

実は、後藤さんの解放に向けた交渉に先行して、ヨルダン政府は、イスラム国に拘束されていたヨルダン空軍F－16戦闘機パイロットのムアズ・カサースベ中尉を救出すべく、イスラム国と解放交渉を行っていたのだ。ジュデ外相は1月28日、CNNテレビのインタビューで、仲介者を通じて、イスラム国と数週間にわたって交渉していたことを明らかにしている。

★

このような緊迫した状況の中、私は、事件の中心人物である国王陛下に対して、毎日、鍼灸の施術を続けていた。

1月29日の夕刻、離宮で用意された部屋で準備を整えると、陛下がいらした。

「陛下、ご体調の方はいかがでしょうか？」

「ストレスが大きいですね。日本人の人質の問題もあるので。」

ついに避け続けてきた話題を切り出されてしまった。

「こちらもパイロット1人が人質になっています。ヨルダン国民も日本人も、どちらも早期解放を目指さなくてはなりません。本件については、安倍総理とも毎日電話でお話をしています。我々はテロリストに対して毅然とした態度で臨まなければなりません。」

このように厳しい状況となってしまった中、アブドッラー2世国王陛下とヨルダン政府が、

chapter
2
そして、事件は起きた

日本人の人質の解放に向けて、日夜ご尽力くださっていたことを、私たちは忘れてはならないと、今でも考える。

「陛下、日本と日本人のために、本当にありがとうございます。滞在中、私めが最善を尽くして鋭意ご奉仕させていただきます。それから、明日はお誕生日でいらっしゃいますね。お誕生日おめでとうございます！　陛下。」

chapter 3

国王陛下の
お誕生日

アカバとアラブ反乱旗

翌日、国王陛下のお誕生日の1月30日。

昼間は特別な予定がなかったので、アカバの町を散策してみた。まるでヨーロッパのリゾート地にいるような雰囲気だ。アカバの町で印象的なのは、どこからでも見えるような巨大なポールと旗があること。一見するとヨルダンの国旗なのだが、よく見ると少し違う。

ヨルダン国旗は1923年に正式に採用され、現在の王室であるハーシム家を表す赤い三角形と、アラブ・イスラム文明における最も重要な時代であるアッバース朝、ウマイヤ朝、ファーティマ朝の古代3王朝をそれぞれ表す黒・白・緑の3本の水平の帯で構成される。赤い三角形の中心には、白い7つの光を放つ星（七稜星）が輝いている。七稜星は、コーラン第1章（開端章）「スーラ・アル・ファティハ」の第7行に対する敬意を象徴している。にもかかわらず、赤い三角形の中に描かれた七稜星がアカバに掲げられたこの旗にはない。

これは、ヨルダンの国旗ではなく、1916年にハーシム家のフセイン・イブン・アリー（アブドゥッラー2世国王陛下の曽祖父）が、オスマン帝国からの自立を目指して挙兵した「アラブ反乱」（Arab Revolt）の際にメッカの平原に掲げ、アラブの諸部族が１９１７年に採択した「アラブ反乱旗」（Arab Revolt Flagpole）である。

アラブ反乱（１９１６年6月～１９１８年10月）とは、第一次世界大戦中に、オスマン帝国からのアラブ人独立と、南はアデンから北はアレッポまでの「統一アラブ国家」の樹立を目指して、メッカの太守であったフセイン・イブン・アリーが挙兵して起こした戦いである。ハーシム家とアラブ諸部族は、「アラビアのロレンス」ことトーマス・エドワード・ロレンスをはじめとするイギリスの支援を受けてアカバを攻略し、ここを拠点として中東各地でオスマン帝国軍と戦い、その支配から解放された。

アラビア半島西部のヒジャーズ地方を以前から治めていたフセインは、「アラブ人の王」を自称し、メッカを首都として１９１６年に「ヒジャーズ王国」を建国する。しかし統一アラブ国家の樹立を目指したこの地は、イギリスやフランスによる委任統治領として分断され、統一アラブ国家の樹立は実現されなかった。

統一アラブ国家は実現されなかったが、ハーシム家のフセイン・イブン・アリーとアラブの諸部族がアラブ反乱旗を掲げ、アラブの独立を目指したアカバは、現在のアラブ諸国の「原点」

左上・下／アラブ反乱旗。フセイン・イブン・アリーが率いたアラブの諸部族により、
1917 年に採択された。　右上／ヨルダン国旗

chapter
3
国王陛下のお誕生日

であると言える。また、メッカの太守であり、アラブ反乱を蜂起させ、後に「アラブ人の王」を標榜したフセインのハーシム家は、歴史的にも系統的にも、正当な「アラブの王家」であると言えるのだ。そして、このフセイン・イブン・アリーの子孫で、現在のヨルダン・ハシェミット王国の王位を継承したのが、アブドッラー2世国王陛下である。

1918年11月、第一次世界大戦が終結し、1920年1月10日には国際連盟が発足、敗戦したオスマン帝国の手から離れた支配領土は国際連盟下で先進国の保護に委ねられた。イギリスはイラク・パレスチナ・ヨルダン（トランスヨルダン）など、フランスはレバノンを含むシリアを委任統治領としたのである。

ハーシム家はヒジャーズ王国の独立を認められたが、その後、アブドゥルアズィーズ・イブン・サウードの侵攻により、ヒジャーズはサウード家がサウジアラビアとして統合してしまう。

一方、ハーシム家のフセインの息子アブドッラー・ビン・フセインは1921年4月11日、イギリスの委任統治領にトランスヨルダンの最初の政府を設立。イギリスは、1923年5月15日に「トランスヨルダン首長国」を承認した。

ヨルダンの名称は、国土の西を流れるヨルダン川の名に由来する。「トランスヨルダン」とは「ヨルダン川の向こう」という意味である。ヨルダン川はヘブライ語起源の河川名で、聖書にその名の記載がある。アラビア語ではウルドゥン、ヨーロッパ諸言語ではヨルダンあるいはジョルダンとなる。

アラブとアラブ人

「アラブ（アラブ世界）」に明確な定義は存在しないが、一般的には「アラビア語を話す人々であるアラブ人が主に住む地域」であると認識されている。具体的には、アラビア半島周辺のユーラシア大陸からアフリカ大陸にかけての一帯。現代政治的には「アラブ連盟」の加盟諸国とみなされる場合が多く、「アラブ諸国」とも呼ばれる。

アラブ連盟とは、第二次世界大戦中に発足したアラブ民族の地域協力機構である。一方、「アラブ人」とは、人種的存在ではなく、一般的には「アラビア語を話し、アラブ文化を持つ民族」であると認識され、そのルーツは、主としてアラビア半島で生活を営んでいたベドウィン（遊牧民）たちである。

chapter
3
国王陛下のお誕生日

7世紀にムハンマドが「イスラム教」を開創する以前は、アラブ人は統一された社会共同体を持たず、部族社会を形成していた。各部族は、度々水資源や利権を巡って争い、破壊や略奪といった無法が行われる場合もあった。しかし、預言者ムハンマドが「神の言葉」をアラビア語で伝えた聖典「コーラン」とともにイスラム教が拡大するにつれて、ベルベル人、エジプト人、メソポタミア人などの近隣の多くの人々が言語的に同化。「イスラム文化」が形成され、より広い地域のイスラム教徒が今日のアラブ人となっていく。

20世紀初頭には、オスマン帝国や欧州列強の植民地支配に対する抵抗運動の中で、「汎アラブ主義」(Pan-Arabism)が勃興し、アラビア語を共通言語とする人々の間に、「アラブ人」という民族意識が誕生する。汎アラブ主義とは、中東における国家を超えたアラブ民族の連帯を目指す思想運動で、第一次世界大戦期にオスマン帝国の支配や植民地支配に抗して起こった民族自決運動だ。

このような歴史と現状からアラブ、そしてアラブ人とは、「イスラム教によって誕生し、形成された地域、文化、民族である」と認識することができる。

ワディ・ラムとアラビアのロレンス

映画『アラビアのロレンス』は、「アラブ反乱」を描いたイギリスの歴史映画であり、実在したイギリス将校トーマス・エドワード・ロレンスが、第一次世界大戦中、先住民ベドウィンを率いてオスマン帝国と戦う活躍を描いた映画である。

この映画は、その大部分がアカバから西に約60キロメートル離れたところにある「ワディ・ラム」と呼ばれる砂漠で撮影され、ワディ・ラムには、ロレンスゆかりの地として、撮影に使用されたロレンスの家やロレンスの泉もある。

私は2012年9月に、そのワディ・ラムを訪れている。アカバの町で翻るアラブ反乱旗を眺めていると、「アカバ⇩アラブ反乱⇩アラビアのロレンス⇩ワディ・ラム」という思考回路が働き、非常に印象深かったワディ・ラムの思い出が蘇ってくる。

chapter 3
国王陛下のお誕生日

ワディ・ラムは「アラブ反乱」や『アラビアのロレンス』とのゆかりが深いばかりでなく、実は国王陛下にとっても、ヨルダンという国にとっても、特別な場所である。アブドッラー2世国王陛下の父親のフセイン1世・ビン・タラール前国王陛下が、若き日にムナ・アル・フセイン王妃陛下と出会った場所だからである。

この映画の撮影当時、ムナ・アル・フセイン陛下は、撮影セットで、撮影アシスタントとして勤務していた。一方、フセイン1世陛下は、この映画に、自軍の兵士がエキストラ出演することを許可していた。そのため、撮影現場を何度となく視察していたことが、2人の出会いのきっかけとなったのである。つまり、ヨルダンにワディ・ラムが存在していなければ、また、ワディ・ラムで『アラビアのロレンス』の撮影が行われていなければ、アブドッラー2世国王陛下はこの世に誕生していなかったし、今日の陛下のお誕生日もなかったことになる。そして、私が陛下にご招待いただき、この地を訪れることもなかった。世界は奇跡に満ちている。

ワディ・ラムは、砂岩と花崗岩でできた砂漠で、別名「月の谷」とも呼ばれる。東京23区がすっぽり入る広大な砂漠には現在、先住民の「ベドウィン」が暮らしている。「ワディ」とは、アラビア語で「枯れた川」。「ラム」は「高い」を意味する言葉に由来し、標高1754メートルの「ラム山」があることが、その所以のようだ。ワディ・ラム周辺には、有史以前から人々が生活していた痕跡が数多く残されており、岩壁からは、約2万5千の彫刻、約2万の碑文が見つかっている。上記の『アラビアのロレンス』をはじめとする数々の名作映画の撮影場所としても知られ、2011年には第35回世界遺産委員会にて複合遺産に「ワディ・ラム保護地域」として登録されている。また、ロッククライミングに適した岩山も数多いことから、最近ではロッククライマーの聖地としても人気が高まっている。

✸

2012年9月——。
ドライバーのアハマッドが4WD車で滞在先のホテルに迎えに来た。砂漠を走るための車だ。観光ガイドの話では、この4WD車は国王陛下のお下がりで、アハマッドは、実は「グランドパイロット」という通常のドライバーよりも格上の運転手であるという。この日は、国王陛下由来の4WD車にグランドパイロットの運転で、広大な砂漠ツアーを楽しむことになっていたのだ。実にワクワクした。

上：ワディ・ラムの砂漠／下：ベドウィンの羊

グランドパイロットの運転で、私たちはワディ・ラムを駆け巡った。さすがのハンドルさばきだ。走れど、走れど、砂と岩とコバルト色の空しかない世界。そして、人が1人もいない。一体、ここは地球なのか？　まるで異次元の空間だ。

ワディ・ラムの岩や砂は赤みが強い。鉄分を含んだ雨水が岩や大地に染み込み、鉄分が錆びて赤い岩や砂になったという。この赤みがかった景色が、さらに異空間を演出している。そして、ワディ・ラムには、自然が生み出した数々の「奇岩」が存在する。人工の岩の彫刻のように見えるが、全て自然の造形物だという。砂を巻き込んだ強風が、長い年月の中で、ヤスリのように少しずつ岩を削り、様々な形の岩を作り出したのだ。

『トランスフォーマー』や『レッドプラネット』、『オデッセイ』などの映画では、ワディ・ラムは火星として登場している。そして、実際にも、ここが火星だと言われたら、信じてしまいそうな世界だ。

全く人気（ひとけ）のない世界を走っていると、アハマッドが車を停めた。車を降りると、彼はおもむろに拳銃を抜いた。

（ここで埋められたら、誰にも見つけてもらえないだろうなぁ……。）

ふざけて考えてみたりしていると、アハマッドが射撃の練習を始めた。人が誰もいないから

上：ワディ・ラムの奇岩／下：拳銃を構えるアハマッド（仮名）

だ。しかし、弾を撃つことはせず、射撃姿勢をとってシミュレーションだけをしていた。そして、いきなり私に拳銃を手渡そうとして、「やってみるかい？」と言う。安全装置が働いているから危険はない。はじめての経験である。日本にいる限りは、実物の拳銃を手にすることは一生ないであろう。実物の拳銃を手にすると意外にも軽かった。

車に戻って、またしばらく走ると、遠くの方にラクダと人の姿が見えてきた。ベドウィンたちである。「ベドウィン」とは、アラビア語で「砂漠の住人」という意味の一般名詞で、アラブの遊牧民族を指す言葉である。「アラビア半島を中心としてラクダや羊の放牧と売買を行い、輸送や他の仕事を営むアラブ系の遊牧民」というのが、ベドウィンに対する一般的な認識であり、サハラ砂漠の大西洋岸から、西部砂漠、シナイ半島、ネゲブ砂漠、アラビア砂漠へと伸びる砂漠地帯で遊牧生活を営んでいる。

「ラクダに乗りますか？」

観光ガイドが聞く。ラクダは歩く時に上下に揺れるため、乗るのは楽ではないことは知っていた。しかし、観光地でラクダに乗るのとは違い、砂漠で乗るのは一興である。私と妻は車を降りてラクダに乗ることにした。普段、ラクダを至近距離で見ることはないが、あらためて見ると、とても愛嬌のある顔をしている。そして、のんびりとした動作にも、やはり愛嬌を感じる。

上段左:ワディ・ラムの名所「石の橋」
上段右・中段:ラクダ乗り体験
下段:ベドウィンたちの踊り

ゆっくりと走る4WD車の後をラクダに乗りながら追う。しばらくすると「石の橋」が見えてきた。最初の目的地だ。ワディ・ラムの名所で、ワディ・ラムには3つの石の橋がある。石の橋に着くと、ベドウィンたちが踊りを始めた。そして、私たちも一緒に踊れと言う。ベドウィンたちは陽気だ。こうして、石の橋の近くで、ベドウィンたちとラクダとともにしばらく過ごすと、陽が傾きかけてきた。

ワディ・ラムでは、夕暮れが近づいてくると、影がとても長くなる。人とラクダの影が長くなってきた。観光ガイドが、ワディ・ラムの夕日は絶景だと言う。そして、その絶景ポイントに連れて行ってくれるというのだからワクワクする。私たちは、ベドウィンたちと別れて石の橋を後にした。日が暮れるにつれて、ワディ・ラムは一層赤くなり、より幻想的な世界が作られる。そして、夕日は、岩の間にゆっくりと沈んでいく。

サンセットマジックアワーを堪能するとディナータイムだ。私たちは、ベドウィン料理のレストランに向かった。ベドウィン料理として有名なのは「ザルブ」(Zarb)と呼ばれる古代から伝わる伝統的な料理である。ワディ・ラムは、観光客がザルブを楽しむことができる数少ない場所なのだ。大きな鍋に、焼けた炭と一緒にラム肉や鶏肉、ハーブ、野菜などを入れ、蓋をして砂の中に埋め、低温調理したものだ。この調理方法は、何世紀にもわたり、アラビア半島全域で、ベドウィンたちによって受け継がれてきたという。

牧草地を求めて砂漠を移動する時、ベドウィンたちは携帯する調理器具を最低限に抑える必要があった。砂漠では容易に穴を掘ることができるため、大きな鍋に、加熱した石を入れれば立派なオーブンができあがる。この移動式の地中のオーブンは、定住生活をしないベドウィンたちの生活の知恵なのだ。また、そういう意味で、ザルブは、言ってみればベドウィンの「砂漠料理」である。

今宵のディナーのメイン料理は、ラム肉のザルブ。肉が焼き上がり、蓋を開けるとなんとも美味しそうな香りが立ち込める。料理が運ばれてきた。いよいよ、メイン料理のラム肉のザルブだ。ひと口頬ばると、これまでに経験したことのないような味わいだった。ラム肉と言われなければ、何の肉なのかさえ判別不能だ。これは世界一美味い魔法の肉なのではないかと感じてしまう。舌が大喜びする。

そして、大きなテント式のレストランの外に出て、ふと空を見上げると、これまでに見たこともないような満天星。「宝石箱をひっくり返したような夜空」とは、まさしくこのことである。この夜空を見上げているだけでも、ワディ・ラムに来ることができた幸せを実感する。ワディ・ラムは、1日の全ての時間が、それぞれに美しい。

ペトラ遺跡や死海に比べると、観光地としてのワディ・ラムの知名度は高くはない。しかし、これからヨルダン旅行をされる方には、ワディ・ラムを訪れて、満天星の下で、ラム肉のザルブを召し上がることを強くお薦めしたい。きっと脳みそが幸せで満たされるのを経験されることだろう。

アカバの町と思い出のサンドボトル

アラビアのロレンスをはじめとするイギリスの支援を受けて攻略し、ヨルダンが独立の一歩を踏み出した地、アカバ。ここはヨルダンのみならず、アラブ諸国の原点であり、フセイン・イブン・アリーのハーシム家の直系は、トランスヨルダン首長国を第二次世界大戦後の1946年に独立させ、1949年に国名を「ヨルダン・ハシェミット王国」に改名。ヨルダンの王家として繁栄している。そして、アラブ反乱旗は、アラブとヨルダンの誇りであり、象徴として、今もアカバの地に翻っている。

chapter 3

国王陛下のお誕生日

上：アカバで見かけた子ども用お医者さんごっこセット
下：サンドボトルは職人による手作り

そんなアカバの町には、お土産店、海水浴グッズを扱う店、洋品店、雑貨店、玩具店など、多種多様なお店があって、見ているだけで楽しい。私は観光地の商店街が好きなので、半日くらいは楽しめそうだ。

玩具店の店先で「Doctor Play Set」――お医者さんごっこセットを見かける。ヨルダンの医療のレベルが高いのは、子どもの頃から専門教育を受けているからなのだろうか？　いやいや、その本当の理由は、ヨルダンには欧米に留学して学んだ医師が少なくないことである。

町を歩いていると現地の子どもに通せんぼをされた。写真を撮ってくれというのだ。チップ目当てなのかと思いきや、ふざけているだけだった。撮ってあげるよ。子どもはどこの国でも自由で明るい。

ヨルダン名物の手作りサンドボトルの屋台ものぞいてみる。サンドボトルとは、ガラスの瓶に着色された砂を流し込み、特殊な棒を使って絵柄を作っていくもので、ヨルダンの観光地ならどこででも売られている。サンドボトルは全て職人による手作りなので、時間が許せば、自分の名前を入れるなど、オーダーメイドにも応じてくれる。

ただし、サンドボトルの絵は、金太郎飴のようなものなので、あまり複雑な絵柄は難しいだろう。

職人たちの技は見事に器用で手早く、オリジナルのサンドボトルが作られる過程を眺めているのも、また楽しい。ヨルダンに行かれる方は、あらかじめ、希望する絵柄の写真などを用意しておくことを、ぜひ、お勧めしたい。アカバで注文した名前入りのサンドボトルは、ヨルダンの思い出の宝物として、今も我が家の玄関に飾られている。

国王陛下のお誕生日

国王陛下のお誕生日の1月30日——アカバの町からホテルに戻った私は、夕方近くから、離宮で国王陛下、王妃陛下に鍼灸の施術をさせていただいた。国王陛下はお誕生日をとても質素に過ごされる。アンマンの王宮を離れてアカバの離宮に移り、静かにご家族と過ごされるのだ。それにしても、陛下がお誕生日を迎えられる束の間の憩いの時に、とんでもない事件が起きてしまったものである。

施術を終えると、陛下から意外なご提案を賜った。

「明日は、夕方に私の施術をするだけで、昼間は特に予定はないですよね？　ペトラに行ってきてはどうですか？」

「陛下、こんな大変な時に、どうぞお気遣いなさらないでください。ここからペトラは遠いですから、ホテルで大人しくしております。」

「せっかくなので、ぜひ。ペトラ行きの手配をしておきますね。」

「ありがとうございます！　陛下。素敵なお誕生日をお過ごしください。」

ペトラ遺跡とは、映画『インディ・ジョーンズ／最後の聖戦』の撮影地となった有名な遺跡だ。何という身に余るお心遣いであろうか？

chapter 4

思い出のペトラ

ペトラ遺跡

2015年1月31日――朝、国王陛下のお心遣いにより、ペトラ遺跡を観光させていただいた。

ペトラは、1985年に世界遺産に文化遺産として登録され、2007年には「新・世界七不思議」に選出されている。ペトラとは、ギリシャ語で「崖」という意味だそうだ。先述したように、有名な映画『インディ・ジョーンズ／最後の聖戦』の撮影に使われた遺跡として、世界的に知られている。

私は2年前にもペトラを訪れており、ペトラを訪れるのはこれで2度目である。

ペトラが位置する土地は、周囲を岩山と断崖に囲まれた自然の要塞をなしている。ナバテア人は、この土地に数多くの建造物を造り、一大都市を築き上げた。そのため、「シーク」と呼ばれる断崖絶壁の中の一本道を通らなければ、ペトラの中心部へはたどり着くことはできない。

ペトラの西にはガザ、北にはダマスカスがあり、紅海にも近いことから、この土地はアラビアにおけるキャラバン貿易の中継基地だった。そのため、ナバテア王国は周辺国家との交流が盛んで、ペトラは多くの外国人が居住する国際都市として繁栄していたとされている。そしてナバテア王国はキャラバン貿易の隊商路に沿って領土を広げてアラビア付近の貿易を独占し、ナバテア人はキャラバン貿易によって莫大な富を築き上げることとなる。王国の主な収入は交易による関税収入で、国民の多くは隊商活動に従事していたと考えられている。

✸

現在のヨルダンの起源である「トランスヨルダン首長国」が建国されたのは1923年である。したがって、ヨルダンは建国されてから100年あまりの比較的に新しい国家であり、それ以前の歴史は、現在のヨルダンの国土が位置する地域の歴史ということになる。

ヨルダンの国土には、およそ50万年前の旧石器時代から人類が住み着いていたことが知られ、西アジアに文明が発達すると交易の中心地として栄えることとなる。その後、紀元前13世紀頃には「エドム人」がペトラ周辺に住み着き、アンマンには旧約聖書に登場する「アンモン人」の国が存在した。

紀元前1世紀頃には、遊牧民であった「ナバテア人」が、エドム人を追い出してペトラ周辺に定住するようになる。紀元前１６８年に「ナバテア王国」を建国、一大王国として繁栄した。

ペトラは、かつてナバテア王国の首都として繁栄した古代都市である。ナバテア王国の最盛期には、ペトラには2～3万もの人々が暮らしていたと考えられているが、ローマ帝国に攻め込まれ、紀元前64年から紀元前63年頃、ローマ帝国の将軍ポンペイウスにより、その支配下におかれた。その後、アラビア半島西を通る交易ルートは、紅海を通る海上ルートが主流になっていったことで、商業都市としてのペトラの重要性は低下し、ナバテア王国は衰退していく。

３６３年にガリラヤ地震で多くの建物が崩壊し、水路網が壊滅するなどの被害が生じた。さらに７４９年の地震によってペトラが壊滅的な被害に見舞われると、ナバテア人はペトラを放棄。古代都市ペトラは砂に埋もれて歴史上から姿を消す。

それから千年以上の時が過ぎた１８１２年、スイス人の探検家であるヨハン・ルートヴィヒ・ブルクハルト（Johann Ludwig Burckhardt）によってペトラは発見された。20世紀初頭から発掘調査が始まって現在でも続いており、８割程度が未発掘とされている。

✷

chapter
4
思い出のペトラ

ペトラに着くと、観光ガイドが出迎えてくれた。アディーブ・アルハサナットという男だ。2年前にガイドを務めてくれたのもアディーブだった。

「久しぶりだね、アディーブ。また会えて嬉しいよ。」

もはや「帰って来た」という感覚だ。

ペトラをひと言で表現すると、「壮大」である。それは空間的に壮大というだけではなく、時間的にも果てしなく壮大な世界だということ。ペトラに入った瞬間に、「時間旅行」あるいは「時空的アドベンチャー」が始まる。ピンク色の赤砂岩の中に築かれた薔薇色の古代都市は、かつて探検家たちに「ローズ・レッド・シティ」と称えられ、英国の詩人ジョン・バーゴンが「時の刻みと同じくらい古い薔薇色の都市」と称賛した姿のまま、私たちを迎えてくれる。

シーク

ペトラの入り口を抜けると、一面に岩だらけの世界が広がる。そして、ペトラの中心部に向かってしばらく歩くと、眼前に「シーク」と呼ばれる道幅の狭い峡谷が現れる。古代都市ペト

上空から見たペトラの遺跡群

ラへとつながる入り口である。観光地としてのペトラ遺跡の入り口ではなく、実際の古代都市ペトラへの入り口だ。

シークは、地殻運動の影響によって形成され、水の浸食により滑らかに削られた自然の地質断層である。およそ1・2キロメートルの緩やかに曲がりくねったこの通路は、ペトラのシンボルである「エル・カズネ」へとつながっている。シークを挟む左右の壁の高さは91〜182メートル。ペトラでは車両の乗り入れが禁止されているため、シークでは、歩いて移動することが基本となる。それでも時折、有料でチャーターされた荷物持ちの馬や馬車とすれ違ったり、追い抜かれたりすることがある。シークを歩いていると、タイムスリップをしたような感覚に陥る。ここは、それほどまでに、私にとっては「異空間」であり「異次元の世界」だ。

エル・カズネ

1時間ほど歩くと、急にシークの道幅が狭くなってきた。アディーブが嬉しそうに言う。

「いよいよだよ！」

上段：観光客で賑わうペトラ
中段：アディーブと
左・下段：暗く狭いシークでは
馬車をチャーターすることもできる

chapter 4
思い出のペトラ

シークの左右の壁の隙間に、巨大な石の建造物が現れた。「いよいよ」とは、私たちがシークの出口にたどり着いたという意味だ。出口を抜けると、眼前に「エル・カズネ」がそびえ立っている。『インディ・ジョーンズ』で観た「あれ」だ。アディーブによると、エル・カズネとは、アラビア語で「宝物殿」を意味するそうだ。紀元前30年頃に建設された高さ約40メートル、幅約25メートルのこの建造物は、地元の人たちの間では、エジプトのファラオの宝物が隠されていると長く信じられてきた。しかし、内部には何も残ってはいなかった。そのため実際には、何を目的として作られたのかは、結局のところ謎である。

ペトラの赤褐色の岩壁は、陽の当たり具合によって、少しずつ色合いが変化する。そして、ペトラが最も美しく薔薇色に輝く時間帯は、午前10時から11時だ。この時間帯には、薔薇色に輝く最高に美しいエル・カズネを観ることができるという。今、まさにその時間だ。アディーブ！ ありがとう‼

実際にシークの出口を抜けて、眼前に現れた実物のエル・カズネの姿は、本当に美しい「薔薇色」をしている。エル・カズネの前は広場になっていて、観光客が集まっている。そして、何匹ものラクダがいる。アディーブが聞いてくる。

「ラクダに乗ってみますか？」

上段左：エル・カズネへと至る「シーク」／上段右・下段：ペトラのシンボル「エル・カズネ」

「久々に乗ってみようかな。」

「決して豊かとは言えないので、できれば、地元の人たちのために、お金を落としてあげていただけると、ありがたいです。」

アディーブにそう言われては、ここはラクダに乗っておくべきだろう。

2年前に来た時にも、ペトラでラクダに乗った。ラクダに乗るのは、その時がはじめてだったのだが、「ラクダだけに乗るのは楽だ（ラクダ）」と思いきや、そうではなかった。ラクダは歩く時に上下に揺れるので、重心を保つのが意外に難しいのだ。それでも、ラクダは足が長いため、高い位置からこの風景を眺めることができるのは、なかなかに楽しい。

ラクダから降りて、エル・カズネの広場のカフェでコーヒーを注文した。

私は、海外で南国に行くと、なぜか猫にもてる。テラス席でお酒を飲んでいたりすると、いつの間にか近づいて来て、膝の上で寝ていたりするのだ。そして、ここでも、また子猫がじゃれに来て私の肩に乗ろうとする。のどかなものだ。子猫とじゃれ合いながらしばし過ごすと、私たちは昼食をとるためにシークを引き返した。行きと帰りでは風景の見え方が違うので、帰り道の風景もまた楽しめる。

アディーブに連れられてレストランに入り、羊肉を注文した。ヨルダンの羊肉はとても美味しい。個人的には世界一美味しいのではないかと思うほどである。

　食事を済ませたあと、お土産屋さんに寄った。ここでお薦めのお土産品と言えば、ペトラ名物「サンドボトル」である。サンドボトルは、ヨルダンの観光地ならどこでも売られているが、ペトラのサンドボトルは、着色されていないペトラの砂だけが使われていて、自然の淡い色合いが特徴である。思い出と一緒にペトラを持ち帰ることができるのだ。

任務完了

　ペトラ遺跡の観光を終えてアカバに帰還すると、私はまた離宮で国王陛下の施術を行った。翌日、国王陛下はアンマンに戻り、その後、バラク・オバマ大統領（当時）と会見するためにアメリカを訪れる予定となっていた。そのため、本日をもって、今回の任務は完了である。

「陛下、この度は色々と誠にありがとうございました。深く感謝申し上げます。どうぞお気をつけてお出かけくださいませ。また、いつでもご用命ください！　飛んで参ります。」

上段：ペトラにもサンドボトルがずらり
中段：猫にモテ中の著者
下段：おなじみのラクダ乗り体験

「ありがとう。」

この時以来、国王陛下は、首脳会談などで来日される度に鍼灸のご要望をくださり、私はご宿泊先のホテルにお伺いして、鍼灸の施術をさせていただくようになった。

chapter 5

死海での休息

国王陛下のお心遣い

2015年2月1日――任務を終えた私は死海を訪れた。国王陛下のお心遣いにより、死海でしばし休息をしてから日本に帰国する予定となっていたのだ。死海を訪れるのも、これで2度目である。

アンマンの町も、アカバも、ペトラも、私にとっては懐かしい場所だが、死海も同様にとても懐かしい。今回は日本とヨルダンに関わる緊急事態に直面し、特別な緊張感の中で仕事をしていたので、死海では、その緊張感が一気に緩んで疲れが一気に出てきた。前回ここへ来たのは9月だったが、今回は1月なので、死海に入るには少し肌寒い。

昔から、いつか「死海」に行ってみるのが夢だった。死海と言えば、水面にプカプカ浮きながら読書をしている写真が印象的だ。地球上にこんなところがあるのだろうか？　と思いながら、いつかそれをやってみるのが夢だったのだ。そして、ついにその夢がかなったのが、はじめてヨルダンを訪れた2年前である。

chapter 5
死海での休息

２０１２年9月19日——アンマンで昼食を済ませると、私たちは車で死海を目指した。宿泊先のホテルは、ケンピンスキーホテル・イシュタール・デッドシー（Kempinski Hotel,Ishtar Dead Sea)。道中、ドライバーのアハマッドが、運転をしながら、時折自分の頸（くび）や肩を揉んでいる。英語が通じないのはわかっていながらも、「こっているのかい？」と尋ねると、私の担当をしてから毎日大変だというようなことを言う。「ホテルに着いたら鍼をやってあげようか？」と身振り手振りを交えて伝えると、ことの外喜んだ。「陛下のドクターにやっていただけるのですか？」と言うようなことを言っている。

「アハマッド、君はもはや相棒だからねぇ。」

チェックインを済ますと、ホテルの部屋のベッドで、アハマッドに鍼治療をした。

「鍼をやるのは良いのだけど、お願いだから、その腰にぶら下がっている物騒なものだけは、どこかによけておいてよ。」

もちろん拳銃のことだ。アハマッドの治療を終えて、しばし部屋でくつろいだ。

全室が同様なのかは不明だが、私たちの部屋からは死海が一望できる。しかも、絶景だ。そして、間もなくサンセットマジックアワーが始まり、夕日が死海へと沈んでいく。

死海は、英語では“Dead Sea”と呼ばれ、「海」という意味の言葉が使われている。しかし、

上段：湖岸にはリゾート施設が立ち並ぶ／下段：拳銃を置いて施術を受けるアハマッド

chapter
5
死海での休息

実際には、東側はヨルダン、西側はイスラエルと接する「湖」である。実はエルサレムを含むヨルダン川西岸地区は、1950年以来ヨルダンの領土だった。それが第三次中東戦争でイスラエルに奪われたのは1967年のこと。この際、イスラエルに占領された地域からヨルダン国内へ大量のパレスチナ人が流入したことも含め、私は出発前の事前学習で知っていた。

（西岸からの景色も見たかったなぁ…）

そんなことをぼんやり考えていて、はたと気付いた。太陽は東から昇って西に沈む。ということは、この自然のショータイムは、ヨルダン側のホテルに宿泊する者にだけ与えられる特権だ。私たちは、部屋のバルコニーから、幻想的な世紀のマジックアワーを堪能した。

ケンピンスキーホテル・イシュタールの規模は大きい。そして、レストランの料理やスパなどの付帯施設は超一流である。ホテルのレストランで夕食を済ませると、ホテル内や庭を散策してみたくなった。

エレベーターに乗ると「こんばんは」という日本語が聞こえた気がした。けれど、こんなところで日本語が聞こえることなど、あるはずはない。きっと気のせいだ。

ホテルを散策した後、寝る前にもう少し飲みたくなってバーに行った。すると、バーのテラス席に日本人と見られる2人の若い男性が座っていて、こちらに向かって会釈をした。

「日本人の方ですか？」と尋ねると「はい。」と言う。

「もしかして、さっき同じエレベーターに乗っていましたか？」

「はい。」

さっきの「こんばんは」は空耳ではなかったのだ。

「こんなところで奇遇ですね。ご一緒に一杯いかがですか？」

一緒にワインを傾けた。2人は、心臓外科と小児科の医師で、友人同士だという。旅行先にヨルダンを選んで休暇を取り、旅行会社のツアーで来たということだった。


私たちが注文したワインは、「SAINT GEORGE」（セント・ジョージ）というヨルダンのローカルワイン。ヨルダンのワインはとても美味い。私はヨルダンを訪れると必ず毎日、ヨルダンのローカルワインを飲む。ヨルダンのローカルワインは、ヨルダンでなければ飲むことができないからだ。ヨルダンには、「SAINT GEORGE」と「JORDAN RIVER」（ヨルダン・リバー）という2つの銘柄があるが、この時に死海で飲んだセント・ジョージの赤のシラーは特に印象深かった。

chapter 5 死海での休息

ヨルダンをはじめて訪れるまで、イスラム教徒が人口の9割以上を占めるヨルダンでワインが生産されていることを、私は知らなかったし、とても意外だった。

イスラム教徒がワイン（酒）を生産しているのだろうかという疑問も湧いたが、ヨルダンのワインは、少数派であるキリスト教徒が生産、販売しているらしい。そのため、必然的にヨルダンのワインの生産量は少ない。そして、その全生産量の約95パーセントが、死海やペトラなどの高級ホテルで消費されているということだ。つまり、ヨルダンのローカルワインを口にしているのは、ほとんどが国外からの外国人旅行者であり、ヨルダンに行かない限り、ヨルダンのワインを口にすることはできない。

✷

ところが、最近になって、私たちが死海で飲んだセント・ジョージが、日本で飲めるようになったことを知った。ヨルダンでセント・ジョージを生産する「ズーモット・ワイナリー」の正規代理店として、「ズーモット・ジャパン」が日本に設立され、セント・ジョージが日本に輸入されるようになったのである。これは、私にとってはとても嬉しいニュースだ。東京でヨルダンのワインを口にすることができる日が来ようとは、思ってもいなかった。ヨルダンでは、死海ばかりでなく、アンマンの高級アラブ料理レストラン「ファハルッディン」でも、ペトラやアカバのホテルでも、私はセント・ジョージを飲んだ。これで、東京で、あの美味しいセント・ジョージを飲みながら、ヨルダンの思い出に浸ることができる。

ズーモット・ジャパンの遠藤晃敬氏によれば、ヨルダンのワインが美味しいのは、ワインヤードがある砂漠の土壌が、ミネラルを豊富に含んだ粘土、石灰岩、玄武岩、火山灰からなり、葡萄が砂漠特有の香り高い糖度に仕上がることが理由であるという。ヨルダンがワインの生産量を増やして輸出をすれば、品質からして、外貨を獲得できる立派な産業になり得るだろうと私は考える。

死海の特徴と利点

翌日の20日の予定は、自由行動だった。ホテルの眼前は死海だ。

chapter
5
死海での休息

「携帯電話を持っていてください。」

そう念をおされた。自由行動ではあるが、万が一、何かが起きた時のために、いつでも連絡がつくようにという意味だ。

海水の塩分濃度が約３％であるのに対し、死海の湖水の塩分濃度は30％程度。海水の約10倍の濃さである。それでは死海は、なぜ、このような塩分濃度になったのか。死海の水源はヨルダン川だけである。そして、年間降水量が50～１００ミリメートルと極めて少なく、気温は夏が30～40℃、冬が20～23℃と極めて高い。このように、出口がなく蒸発が盛んなため、死海の水の蒸発量がヨルダン川からの水分供給量を上回り、塩分濃度の高い湖が生まれたのだ。この高い塩分濃度によって、魚類などの生物が生息できないことが、「死海」という名前の所以である。

死海は、体が浮くということで世界的に知られているが、それ以外のことは、あまり知られていないのではないだろうか。実は、死海は「健康」と「美」の一大パワースポットであり、「リラクゼーション」の聖地。ヨルダンやヨーロッパ、そして対岸のイスラエルでは、富裕層に愛される温泉のような保養地なのだ。

死海の湖面の海抜はマイナス４３０メートルであることから、「地球上で最も低い場所にある自然のスパ（ＳＰＡ）」と形容される。「スパ」は、日本語では「温泉」と訳されるが、正しくは、「温浴、水浴を主軸とした健康と美の増進施設」である。そして、死海には、健康、美、リラックスを増進する様々な要素が、自然の状態で揃っているのだ。「ストレス社会」「長寿社会」「人生１００年時代」と呼ばれる現代社会においては、まさしく夢の楽園ではないだろうか。

★

「浮遊する」「浮く」ということには、それだけで大きなリラックス効果があるとされている。フランスで発祥した「タラソテラピー」の分野でも、「フローティング・セラピー」として人気を集めている手法のひとつだ。タラソテラピーとは、ギリシャ語由来の thalasso（海）、フランス語の therapie（治療）の複合語であり、日本語では海洋療法と訳される。フランス医学アカデミーでは、タラソテラピーは「海洋気候の作用の中で、海水、海藻、海泥を用いて行う治療」と定義されている。フローティング・セラピーは、塩分濃度の高い水の中で、体が沈むことがないよう、仰向けの状態で、浮輪ならぬ浮棒と呼ばれる浮具を、頸（くび）と膝に当てた状態で浮遊するもので、タラソテラピーのリラクゼーションプログラムだ。心身の疲れを癒す効果が期待できるとされている。

★

地球上には重力があるため、私たちは、日常生活を送っているだけでも、重力による負荷を受けている。つまり、日頃から一定のストレスを受けているのだ。「ストレス」とは、元来は物理学の用語で「歪み」という意味であり、医学の分野では、「外部からの有害な刺激（ストレッサー）によって、心身に生じる歪みとその歪みに適応しようとする生体の反応」であるとされている。つまり、私たちが日常的に使っている「ストレス」という言葉は、心身に何らかの悪影響を及ぼす有害な刺激のことで、正しくは「ストレッサー」である。人は、重力というストレスに適応するために、常に一定の力を使っている。

一方、水に浮遊している状態では、重力による負荷がほとんどかからないため、ほぼ完全に「脱力」をすることができる。フローティング・セラピーの人気が高いのは、それが理由であろう。

死海では、浮具も使うことなく、重力の呪縛から解放され、浮遊を体験することができる。しかも、果てしなく広く、青い空の下で。

さらに、死海では、蒸発した水分が空気中で自然の遮光フィルターとなるため、人体に有害とされる紫外線（UVB）が10～20％も低減する。海水浴で、特に女性が最も気を使うのは紫外線対策。しかし、ここでは、ほとんど紫外線を気にすることなく、日光浴と浮遊体験を楽しむことができるのだ。

死海のリラックス効果は、浮遊によるものだけではない。死海の酸素濃度は通常の約20％増と世界中で最も高い。世界一、上質で豊かな空気なのだ。この空気を吸入することで、心拍数が減少し、脳や内臓を休める効果があることが認められている。このような奇跡的な体験ができるのは、私の知る限り、世界中でも、唯一、この死海だけである。

ミネラルの湖

死海の水は、その感触からして海水とは全く異なる。水というよりは、むしろ油のような肌触りだ。そして、苦味がとても強い。死海の水はどれほどしょっぱいのかと尋ねられることがあるが、しょっぱいというよりも、むしろ苦いのだ。その理由は、死海の水には、天然ミネラルが約30％も含まれているからだ。海水の主成分が塩化ナトリウムであるのに対し、死海の主成分は塩化マグネシウム。そして、カルシウム、ナトリウム、カリウム、ストロンチウムなど、知られているだけでも64種類の天然ミネラルがバランス良く含まれている。

このような死海の水が目に入ろうものなら、すぐに洗い流さないと大変なことになる。そのため、事前に岸辺のシャワーの位置を確認しておくことが必要である。また、水泳用のゴーグルを持参されることが勧められる。

死海の水を利用した特有の自然療法は、古代より行われてきた。現代の医療の分野においても、皮膚アレルギー、喘息、リューマチ、神経痛などに対する効果が認められており、治療を目的として死海を訪れる人も少なくない。水に含まれるミネラルを利用した治療は、日本でも古くから「湯治」として温泉で行われてきた。しかし、死海に含まれるミネラルは桁違いに高濃度で、成分構成も特有である。死海の水は温泉水を超える「超温泉水」と言えるのだ。

死海の美容効果

古代の人々は、死海の水に若さと美をもたらす効果があることも知っていた。そのため、遠方からも、多くの人々がこの水を求めて死海を訪れた。かのクレオパトラも、死海で水浴をすることを好んだことが伝えられている。古代の人々にとって、死海の水は、まさしく「魔法の水」だったのだ。

死海の美容効果の秘密は、ミネラルを多量に含む水だけでなく、堆積した「泥土」にもある。何万年にもわたり、川から流れ込んだ塩と天然ミネラルを含む泥土が肌の新陳代謝を高め、肌につやと潤いを与え、若々しい美肌を作り上げるのだ。

死海では、この泥土は、「天然の泥パック」として利用される。そして、死海の沿岸には泥土が入った大きな壺がところどころに置かれ、無料で肌に塗ることができるようになっている。浮遊と泥パックを繰り返しながら、死海で半日も過ごせば、肌はつるつる、心と体は完全にリラックス。心身ともにリセットされた感覚を実感することができる。青い空、豊かな空気、穏

上段左：泥パックを楽しむ外国人カップル／上段右：泥パックも目に入った水も、ここで洗い流す／下段左：堆積した泥土が入った壺／下段右：湖岸には塩が堆積している

やかな太陽、浮遊、脱力、リラックス——死ぬまでに、一度は死海での浮遊を体験されることをお薦めしたい。

いよいよ浮遊体験

私たちはホテルの部屋で水着に着替え、部屋にあった新聞を手にして死海の浜辺へと降りた。自分と妻の2人分のビーチベッドを確保すると、いよいよ浮遊体験だ。

まずは、実際にどのように浮くものなのかを確認することが必要だ。沖に向かって歩いて行くと、水深が深くなるにつれて、足がすくわれるようになり、まっすぐに立っていられなくなる。自動的に仰向けの姿勢にさせられるのだ。こうして、実際に浮遊体験をして、おおよその要領を把握したところで、かねてからの夢にチャレンジだ。ホテルの部屋にあったのはアラビア語の新聞だから、実際に読めるはずはないのだが、ポーズだけでも、死海に浮いて新聞を読んでみたい。

再び死海に入ると、昨夜の2人の日本人が浮遊していた。よく見ると、死海に浮かせたお盆の上に徳利とお猪口をのせて、楽しそうに酒を飲んでいる。死海で、昼間からだ。この時、私は、これまでの人生の中でも、忘れ難い「敗北感」を痛切に感じた。死海で浮遊しながら、徳利とお猪口で日本酒⁉　私には、そのような発想は皆無だった。死海に浮いて新聞を読むのが夢だった自分が、どれほどの凡人だったのかと思い知らされる。浮遊しながら新聞を読むふりをして、喜んでいる場合ではない。

後に彼らから聞いた話では、徳利やお猪口をのせたお盆はバランスを崩しやすく、ひっくり返りやすい。事前にそのことに気付いた彼らは、お盆の裏側に立方体の発泡スチロールを接着剤で取り付けて、お盆の転倒防止対策を行った上で死海に臨んだという。計算尽くであった。同じ日本人として、ただ「脱帽」である。

こうして、私のはじめての死海の浮遊体験は、２人の日本人医師によって「惨敗」という結果に終わった。しかし、もし、また死海を訪れる機会があれば、私は必ずリベンジをしたいと思った。死海の浮力を利用して、彼らの「あれ」を超える体験とは何か？　今後の人生における大きな課題ができた。そして、これから死海を訪れる方は、どうぞ計画的で周到な準備をされることをお勧めしたい。

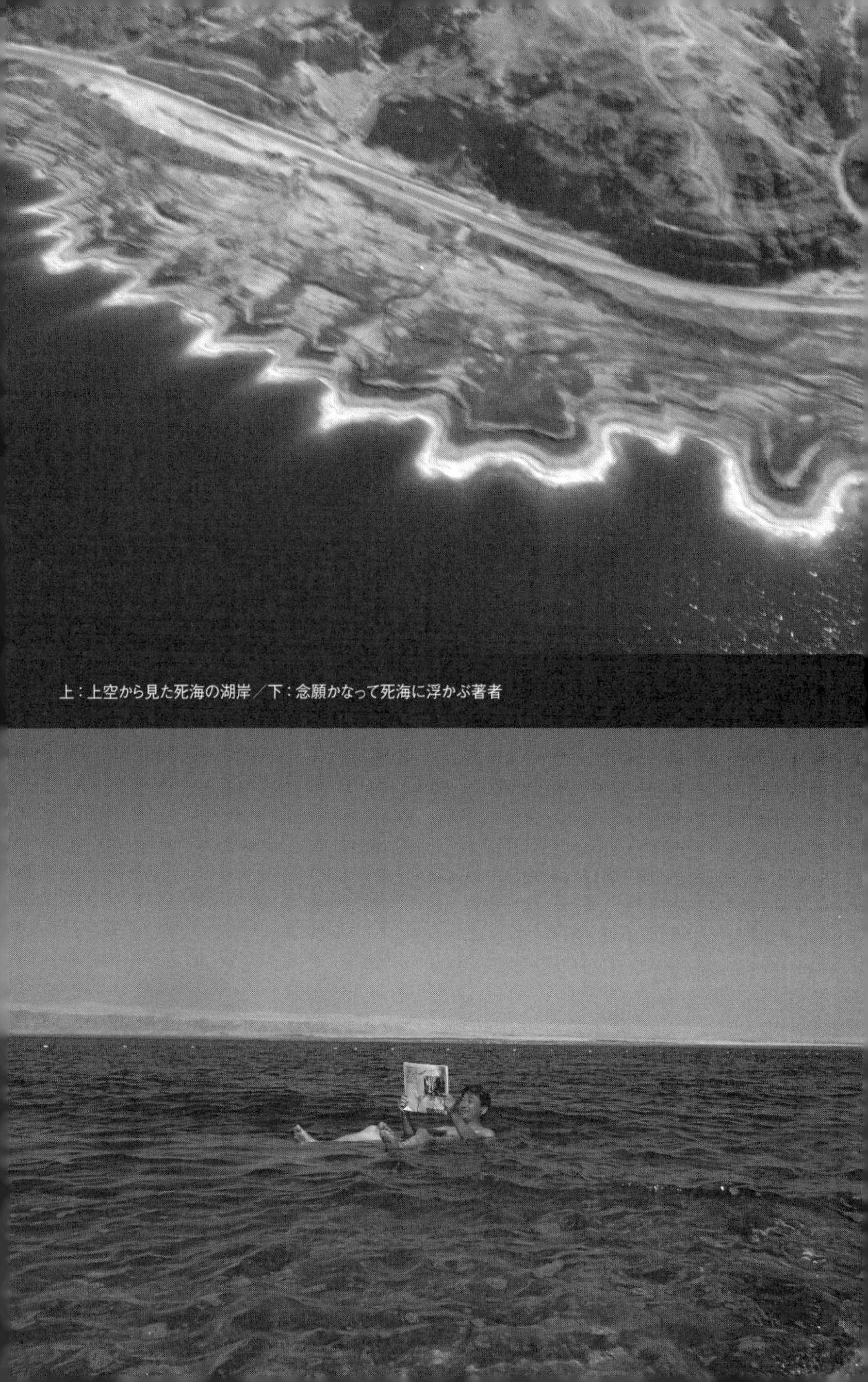

上：上空から見た死海の湖岸／下：念願かなって死海に浮かぶ著者

chapter
5
死海での休息

王宮府からの出動要請

こうして自由気ままに死海の浮遊体験を楽しんで、ビーチベッドで休んでいると、王室から支給された携帯電話が鳴った。

「お休みのところ失礼します。国王陛下が、もう一度鍼灸の施術をご所望でいらっしゃいます。そちらに迎えを送りますから、至急ご準備をお願いします。」

陛下が私の施術をご所望されて、死海まで追いかけてくださったのだ。私は、陛下に何かあったのだろうかと考えながらも、光栄に感じて嬉しかった。「承知いたしました。」と応えると早速、ホテルの部屋に戻って白衣に着替えた。

ほどなくしてアハマッドが迎えに来て王宮に向かい、王宮の施術室で準備を整えると、国王陛下がいらした。

「陛下、どうかなされましたか？」

「鍼をやっていると体調がとても良いのです。また全身的な施術をお願いできますか。」

「かしこまりました。」

私は、一国の元首に、ここまで頼りにしていただいていることを、あらためて実感した。感無量とはこのことだ。感謝しかない。

施術を終えると、外はまだ明るかった。この時間に死海のホテルに戻れば、また、あのサンセットマジックアワーに間に合う。死海の浮遊体験では惨敗したが、なんという特別で幸せな一日であろうか。

✸

2015年2月1日――。

再び死海を訪れた私は、今回の一連の事件のことを振り返っていた。奇しくも、ちょうど事件の始まりから終わりまでの間、私は毎日、国王陛下とお会いし、鍼灸の施術をさせていただき、お話もさせていただいていたのだ。

突然の緊急事態に直面し、その状況下で自分なりに奮闘したことで、私は消耗し切ってしまったが、陛下は私とは比べ物にならないほど消耗されていたはずである。私は、少しでも国

王陛下のお役に立つことができたのであろうか。突然の状況の変化により、陛下のお誕生日をお祝いする鍼灸であったはずが、イスラム国と向き合う陛下のお体のケアを目的とした鍼灸に変わった。しかし、遠く離れて何もできなかったよりは、偶然にも日本人として、国王陛下のためにせめて何かをさせていただけたことを喜ぶことにしよう。そして、せっかくの死海で脳みそと体をリセットさせていただくことにしよう。今の自分には、そう考えることしかできないのだ。

✸

そんな矢先に後藤さんの殺害が報道されていたのだが、その時、私はそのことを知らなかった。ただ、死海に来る途中でアンマンのホテルに戻ると、あれほど大勢いた日本の報道陣が姿を消していたので、何かあったのだろうとは感じていた。

一方、カサースベ中尉の安否は、この時点では確認されていないままだった。そんな中、国王陛下はアメリカへと発たれた。ところが2月3日、イスラム国はカサースベ中尉を処刑した動画を公開した。ヨルダン国営テレビは、根拠は示していないものの、カサースベ中尉はすで

chapter
5
死海での休息

に1月3日に殺害されていたと報じた。これが事実であるとすれば、日本政府が、後藤さんの解放に向けてヨルダン政府に協力を要請した時点で、カサースベ中尉はすでに亡くなっていたことになる。

結局、後藤さん、カサースベ中尉とリシャウィの交換は実現しなかった。しかし、事件の間、私は毎日、国王陛下とお会いし、後藤さんの解放に向けた国王陛下のご尽力を目の当たりにしていた。アブドッラー2世国王陛下とヨルダン政府のご尽力に感謝申し上げるとともに、カサースベ中尉のご冥福を心よりお祈り申し上げたい。

ヨルダン政府は、報復として2月4日にリシャウィの死刑を執行し、国王陛下は急遽とんぼ返りでアメリカから帰国された。

その後、ヨルダン軍は、イスラム国に対して報復の空爆を実施し、国王陛下ご自身もこの空爆に参加したという記事がネットニュースに掲載された。ヨルダン政府当局はこの記事を否定したのだが、自国と国民を愛し、戦闘機や戦車を自由に操り、なんでもご自身でやらなければ気がすまないアブドッラー2世国王陛下である。このような噂がまことしやかに流れたとしても不思議はない。迷彩服に身を包んだ陛下が戦闘機に乗り込む姿が目に浮かんだ。

国王陛下からのプレゼント

帰国の前日の2月3日、宿泊中のホテルに、2つの箱が入った大きな紙袋が届けられた。紙袋には金の王冠のマークが刻まれていて、国王陛下からの「ギフト」だという。2つの箱には違いがあり、1つは比較的薄い紙で作られたもの、もう1つは分厚い紙で作られた頑丈なものだった。

薄手の箱に入っていたのは、額装された直筆のサイン入りの国王陛下のポートレート写真。

「あっ…えっ…!?」

もう1つの分厚い箱を開いて、私は驚きの声をあげてしまった。ヨルダンの金の王冠マークが文字盤に刻まれたブライトリングの「エアロスペース」が入っていたからだ。

陛下からの身に余るギフトに動揺しながらも、インターネットで調べてみると、ブライトリングはヨルダン軍の官給品の時計ブランドであることがわかった。また、アラブでは時計は深い意味を持ち、時計を贈られることは最高の栄誉であるということを知った。

「イスラム国日本人人質事件」の始まりから終わりまでの間、私は、毎日、鍼灸の施術で国王陛下のお体のケアをさせていただいていたため、いただいた時計そのものよりも、ヨルダン軍の官給品と同じブランドの時計を賜ったことが嬉しかった。治療家として、ヨルダン側のチームの一員に加えていただけたように思えたからだ。

後日、インターネット上で、米国中央情報局（ＣＩＡ）の諜報員が、国王陛下からエアロスペースをプレゼントされた逸話の記載を見つけた。それが私が賜った時計と同じものであったことを知り、さらに驚いた。

ヨルダン軍とアブドッラー2世特殊作戦訓練センター

ヨルダン軍は、空軍が１９５５年9月25日に成立したことに始まる。１９７０年代にはアメリカからの兵器購入に伴い軍事支援も活発化。１９７５年3月、アメリカ国防省は、同国内で67人のヨルダン軍要員に対して軍事訓練を行っており、若干名のパイロットに対しても訓練を行っていることを明らかにした。
現在のヨルダン軍は、陸軍、海軍、空軍、統合特殊作戦軍を含む。法律上の最高司令官は国王陛下であり、事実上の指揮権は首相にある。また、ヨルダン軍の管理・運営は国防省が担当する。徴兵制度はないが、ヨルダン陸軍は8万6000人、アカバに基地を持つヨルダン海軍は500人、ヨルダン空軍は1万4000人の人員を保有。アンマンの郊外には、24平方キロメートルを超えるヨルダン軍の広大な軍事訓練施設「アブドッラー2世特殊作戦訓練センター（King Abdullah II Special Operations Training Center／KASOTC）」がある。

✸

KASOTCは、英国サンドハースト王立陸軍士官学校の卒業生で、即位以前にはヨルダンの特殊部隊の指揮官であったアブドッラー2世国王陛下の主導によるプロジェクトで、2009年に特殊部隊の訓練のために作られた施設である。演習用の村、住宅街、大使館、産業施設、政府の庁舎、公共施設、さらに、運転や射撃の訓練場など、テロ対策と市街戦を想定した軍事演習に必要なあらゆるものが取り揃えられていて、ヨルダン軍の中でも、統合特殊作

chapter 5 死海での休息

戦軍はKASOTCで定期的に訓練を行っている。ヨルダン統合特殊作戦軍は対テロ特殊部隊だ。

KASOTCの大きな特徴は、軍事訓練施設ではあるが、訓練の目的が「戦争」ではなく、「テロリズム対策」であるということだ。ヨルダンにとって「暴力」は「防力」。国防能力なのである。そして、そのために、ヨルダン軍の統合特殊作戦軍ばかりでなく、テロリズム対策を共通の目的とする世界中の特殊部隊や警察官、警備会社などが、この施設を利用して訓練を行っているのだ。

そのためKASOTCでは、「イーガー・ライオン」などの「多国間軍事演習」も実施されている。これまでの参加国は、アメリカ、イギリス、バーレーン、カナダ、チェコ、エジプト、フランス、イラク、イタリア、レバノン、パキスタン、ポーランド、カタール、トルコ、アラブ首長国連邦、サウジアラビア、イエメンなど。毎年1回、世界各国の特殊部隊やエリート警察官が競い合う「特殊部隊オリンピック」である「Annual Warrior Competition」も開催されている。各国の参加チームは、人質の救出、市街戦、VIPの保護、射撃などの様々な演習で競い合う。

軍人としての豊富な経験から「戦う国王」とも称されるアブドッラー2世国王陛下は、21世紀における特殊部隊とテロ対策の重要性を早くから認識しており、中東でのテロリストとの戦いにおいて、ヨルダンが主導的役割を担いたいと考えておられるという。その意志を色濃く反映させたＫＡＳＯＴＣは、ヨルダンが誇る世界規模の対テロリズム訓練施設であると同時に、中東と世界のテロ対策において非常に重要な役割を果たしていると言える。

アメリカの中央情報局（ＣＩＡ）に当たるヨルダンの情報総局（ＧＩＤ）は、世界的なテロとの戦いにおいて数多くの成功を収めた有能な情報機関であるゆえ、多くのテロリスト集団から警戒されているという。周辺国において、多くの戦争や紛争が起きている中、ヨルダンの治安が良く平和なのは、このような国策とテロ対策によるものであろう。

chapter 6

三度(みたび)のヨルダン

国王陛下への贈り物

2022年9月、元総理大臣である安倍晋三氏の国葬儀に参列されるため、アブドッラー2世国王陛下が来日された。そして私は2日間にわたり、ご滞在中のホテルで鍼灸の施術を行った。

コロナ禍の影響もあり、国王陛下とお会いするのは約4年ぶりである。実は、もうとうに忘れられてしまっているであろうと思っていた。それだけに、ヨルダンの王宮府から電話連絡を頂戴した時はとても嬉しかった。だが同時に、毎回、国王陛下とお会いする時に、悩ましいのは、何を贈り物にするかということだ。

陛下は毎朝、グリーンティーを召し上がるという。そのため、たいていは上質の緑茶をお持ちしてきた。しかし毎度毎度、緑茶ばかりでも芸がないと言うか工夫が足りない。虚礼的になってしまわないかなどとも考える。

安倍晋三氏の国葬儀は9月27日。陛下に対する鍼灸の施術は9月26、27日の予定である。何か良いお土産はないだろうか？　毎日、あれこれと思案した。そして3日前の9月23日の朝、目を醒ましてトイレに行くと、天から啓示が降りてきた。実は私には、度々このような事象が起こる。トイレに入っていると、アイディアやイメージが神様の啓示のように上から降りてくるのだ。そして、それらの啓示はほとんど外れたためしがない。つまりは正解である可能性が極めて高い。今回の天啓は、なんと「神棚」であった。

（神棚!?　ヨルダンはイスラム教の国ですけど…。）

一瞬、そんな疑問が頭をよぎる。それでもかぶりを振り、先入観を取っ払って一気に色々なことを考えた。

✸

神道は宗教でありながらも、宗教というよりは「自然哲学」である。つまり、理論上、神道とイスラム教はバッティングすることがないのだ。また、ヨルダンは、中東にあっては宗教に対して非常に寛容な国であることで知られている。国民の93パーセントがイスラム教徒、7パーセントがキリスト教徒だ。

ヨルダン国内には、洗礼者ヨハネによるイエス・キリストの洗礼が行われ、キリスト教発祥の地とされている「キリスト洗礼の地」(Baptism Site of Jesus Christ)や「ヨルダン川」など、キリスト教の聖地も多々存在することから、世界各地から大勢のキリスト教の巡礼者が訪れる。イスラム教徒とキリスト教が仲違いをせず平和に共存している国なのだ。

さらに、ヨルダンは中東一の親日国であり、アブドッラー2世国王陛下ご自身も大の親日家である。国王に即位される前に、日本を11回も訪れておられ、即位後も11回来日されている。つまり、日本に対して極めて好意的であるばかりでなく、日本の事情にかなりお詳しいはずである。このようなことを頭の中でぐるぐると巡らせていると、ふと、「サンマリノ共和国」のことが頭をよぎった。

✸

2014年、キリスト教の国であるサンマリノ共和国に、ヨーロッパ初で唯一となる日本の神社「サンマリノ神社」が建立された。しかも、日本の神社本庁公認の歴とした神社である。サンマリノ共和国はイタリア半島の中東部に存在する共和制国家で、イタリアの国土の中に

chapter
6
三度のヨルダン

存在する世界で5番目に小さい国である。バチカン市国がイタリアの中にあることは知られているが、イタリアの中に、もうひとつ別の国家が存在することは、日本ではあまり知られていない。

我が国、日本は世界で最も古い国家として知られている。そして、サンマリノ共和国は世界で2番目に古い国家であり、最も古い共和国である。そのサンマリノ共和国には、日本の神社が存在するのだ。

サンマリノ神社が建立された経緯には、あるキーパーソンの存在が深く関与している。サンマリノ共和国の駐日大使のマンリオ・カデロ氏である。

カデロ大使は、サンマリノ共和国の駐日大使であると同時に、日本における世界１５７か国の大使全体を代表する駐日外交団長、つまり、全駐日大使のトップだ。そのカデロ大使も、私の鍼灸の依頼人のおひとりである。１９７５年に来日してから40年以上日本に住み、流暢な日本語をお話しになる大使は、大の親日家だ。そんな大使がサンマリノ神社の建立に尽力した経緯は、以下の通りである。

２０１１年3月11日に発生した東日本大震災の犠牲者の数が、サンマリノ共和国の人口とほぼ同じであったことから、カデロ大使は犠牲者のために何かしたいと考えた。そして、母国に犠牲者を追悼するための「神社」を建立するという着想を得たのだ。長年日本に住み、日本事情に詳しいカデロ大使は、神道は宗教というよりも、むしろ「自然哲学」であることを深く認識されていて、キリスト教の国であるサンマリノ共和国に神社が建立されても、何の矛盾も問題もないと考えられた。そして、その実現に向けてご尽力されたのである。

かくして、サンマリノ共和国には、実際に「サンマリノ神社」が建立され、地元の人たちにも受け入れられている。サンマリノ神社が建立されて以来、サンマリノ共和国では、毎年6月に「ニッポンまつり」が開催され、現在では、日本からも多くの旅行者が彼の地を訪れるようになった。

✸

ヨルダンとサンマリノには共通点がある。外貨を獲得できる主要な産業が「観光」であるということだ。中東と言えば、石油などの天然資源に恵まれ経済的に豊かなイメージがある。しかし、ヨルダンは天然資源に恵まれず、外貨は主として観光収入によって獲得されている。本編で述べてきた通り、ヨルダンは「観光立国」なのだ。

私は、2度にわたって国王陛下にご招待いただき、「ペトラ遺跡」「死海」「ワディ・ラム砂漠」「アカバ」などの観光地やリゾート地を訪れた。それらの体験は魂を揺さぶられるほどの素晴らしいものだった。ヨルダンが夢のような観光地であり、良い意味で、日本人にとって異空間であることを、私は身をもって知っている。そして、これも本編で触れたが、私たちが持つ中東のイメージとは裏腹に、ヨルダンは治安も良く安全である。英語も通じるしアルコールも普通に飲める。イスラム教徒の尊厳に対する配慮さえ怠らなければ、ヨルダンは自由で安全で楽しく過ごせる国である。

(もっと多くの日本人がヨルダンを訪れるべきだ。そして知るべきだ。)

ヨルダンを知る私は常々考えてきた。そこで思い至ったのが、サンマリノの事例は、観光立国の成功事例になるのではないかということだ。かつて、イタリアの国土内に存在する小国のサンマリノは、日本では、その名前や存在すらほとんど知られていなかった。ところが日本の神社が建立されたことで、多くの日本人がサンマリノに目を向けるようになり、また、実際にサンマリノを訪れるようになった経緯をヨルダンに重ねたのだ。

「神社ができればヨルダンと日本の関係が変わる。」

いつしか私はそう確信するようになった。そうなると、国王陛下へのお土産は、やはり必然的に「神棚」が正解で、トイレで得た啓示は本物だったということになる。

神棚は、英語では、miniature shrine（小型神社）もしくはhousehold shrine（家庭用神社）である。つまり、小さいながらも神社だ。早速、私は、自宅近くの神具を取り扱う店に行き、檜の神棚を購入した。

✸

いよいよ国王陛下とお会いする9月26日が来た。

ご滞在先のホテルには、以前と同じように特設施術室が用意されていた。支度を整えて陛下をお待ちしていると、懐かしい陛下が普段着でいらっしゃった。

「ハロー、マイフレンド！　ハウアーユー？」

お会いするなり、陛下がそうおっしゃられた。以前はとても恐れ多いと思ったものだが、その時はただ嬉しかった。そして、4年間の空白は一瞬で消えた。

「国王陛下、お久しぶりでございます。ありがとうございます。私は元気にしております。陛下はお元気でいらっしゃいますでしょうか?」

「元気です。ありがとう。奥様もお元気ですか?」

「ありがとうございます。妻も息災でございます。この度は鍼灸のリクエストを賜りましてありがとうございます。こちらは陛下へのギフトでございます。」

神棚の入った段ボール製の箱をお渡しする。これまでの人生において、この時ほど、ハラハラドキドキしたことはなかった。イスラム教の開祖である預言者ムハンマドの後裔であり、イスラム国家であるヨルダン王国の国王陛下に神棚をプレゼントするというのだ。考えようによっては、打首覚悟でなければできない暴挙とも言える。

「何でしょう? 開けても良いですか?」

陛下が尋ねられている間に、王宮府の職員たちがハサミを持ってきて箱を開ける。運命の瞬間だ。

「素晴らしいですね。」

「miniature shrine(神棚)です。」

そう申し上げると、意外にも、国王陛下ばかりか、訝しそうな顔をする職員は1人もいなかった。それどころか、皆、興味深そうに笑顔で神棚を眺めていたのだ。

(助かった……!!)

胸をなで下ろし、あまりにも予想外の展開に拍子抜けした次の瞬間、「アクシデント」は起きた。神棚には「お札」を納める扉がある。陛下はそれを指して、こう尋ねられたのだ。

「この中には何が入っているのですか?」

(しまった!!)

神棚を購入して肝心の「お札」を忘れていた。トイレで得た啓示は「神棚」だけだったので、お札が完全に頭から抜けていた。まさしく「大失態」である。

「この中には、お札と言いまして、ご自身が信じている神様の名前が書かれたプレートを神様の代わりとして納めるのです。」

そう申し上げるのがやっとだった。万が一、ここで話が宗教に及んでしまっては窮地に立つことになる。しかし意外にも、陛下は「そうなのですね」とだけおっしゃられたため、その場は切り抜けることができた。

✸

上：国王陛下にお贈りした神棚／下：ここで施術を行った

翌9月27日の施術の予定は午後だった。おそらくは、安倍晋三氏の国葬儀に参列される前の時間だ。私は、午前中に自身の氏神様である「芝大神宮」に走り、「天照大御神」のお札を手に入れた。そして、「鍼の神様がお祀りされている「江島杉山神社」のお札とともにお届けした。

東京には、徳川幕府五代将軍綱吉の鍼医が、没後に御祭神として祀られている神社があるのだ。江島杉山神社のお札を添えたのは、国王陛下が鍼の施術をお好きだからということはもちろん、陛下のご健康を祈願してのことである。

「陛下、昨日は神棚をお持ちいたしましたが、肝心なお札を忘れておりました。申し訳ございませんでした。本日、お持ちいたしました。こちらが日本で最も位の高い女神様（天照大御神）でして、こちらは鍼の神様（杉山和一）でございます。」

「ありがとう。王宮に良い場所を見つけて安置しますね。」

こうして、私のミッションは無事に成功した。国王陛下が王宮に神棚を安置してくだされば、「ミニチュア」といえども日本の「神社」がヨルダン、しかも王宮内に存在することになる。この時、私は、ヨルダンにサンマリノ神社のような神社が建立され、大勢の日本人がヨルダンを訪れることを夢見た。

先述した通り、神道は宗教というよりも、むしろ自然哲学である。したがって、イスラム教

chapter
6
三度のヨルダン

の国であるヨルダンに神社が建立されても、理論上、何の矛盾も問題もない。そして、ヨルダンに神社が建立されれば、間違いなく中東初で唯一の神社である。

まさか中東に、日本の神社が建立されようなどとは誰も考えていないであろう。実現すれば、大きな注目が集まることは間違いない。また、ヨルダンと日本の関係は大幅に強固で良好なものとなるだろう。まさしく、ラーニア王妃陛下が著された「Sandwich Swap」の考え方と同じである。「中東和平」と近隣諸国からの「難民救済」を祈願して、ヨルダンに神社が建立されることは、両国にとって大きな意味と意義があるのだ。

鍼灸の施術を終えると、国王陛下からとても嬉しいお言葉を頂戴した。

「たまにはヨルダンに遊びにきませんか？　この10年でヨルダンも随分と変わって、新しい見どころも増えました。」

「ありがとうございます。陛下。でも、本当によろしいのでしょうか？」

「ぜひ来てください。春頃はどうですか？」

「もしよろしければ、6月にお伺いしたいです。6月は、日本は梅雨なものですから。」

「6月は、ヨルダンは良い季節ですよ。それでは、王宮府の者から連絡を入れさせますね。」

かくして、2023年6月、私は、三度（みたび）ヨルダンを訪れることになった。そして、そんな折、奇しくも、本書の執筆と出版をすることが決まったのだ。

とうに忘れられているだろうと思っていた国王陛下とのご縁はまだ続いていた。そして、3度目のヨルダンでは、一体、どのような出来事が待っているのだろう。私は、これからも、アブドッラー2世国王陛下とヨルダンのことを日本の皆様にご紹介していきたいと考えている。

3度目のヨルダン訪問

3度目のヨルダン訪問の日程が近づいてきた。この時点で本書の執筆の話は決まっていて、すでに原稿を書き始めていたので、書籍の材料になるような新しい情報や体験が得られることも期待した。しかし、3度目のヨルダンで「人生最大の経験」と言うべき経験をすることになろうとは、この時は知る由もなかった。

5月になると、ヨルダン王宮府からEチケットと旅程表が送られてきた。見ると、滞在予定

chapter 6 三度のヨルダン

は11日間で、国王陛下への鍼灸の施術の予定はなく、全て旅行の予定となっていた。国王陛下は、私と妻に、仕事抜きの「ヨルダンの旅」をプレゼントしてくださったのだ。

Eチケットは、羽田空港発、ドーハ経由、アンマン空港行き。以前は、アンマン行きの飛行機は成田空港からしか飛んでいなかった。東京に住む私たちにとって、羽田から飛べるようになったのはとてもありがたい話だ。

羽田のチェックインカウンターでは、日本人の女性職員が対応してくれた。

「北川様ですね。日本航空のラウンジになりますが、搭乗までラウンジでおくつろぎください。」

私のパスポートとチケットを見て、職員はそう言ってラウンジに案内してくれた。私たちの便は、日本航空との共同運行便だったのだ。また、私たちの荷物には「VIP」と書かれたタグが付けられた。ヨルダン王宮府から私たちに関する話が通っていたのであろう。

6月10日――ドーハを経由してアンマン空港に到着すると、見覚えのある人物が、私の名前が書かれた紙を持って立っていた。

「お久しぶりですね。ありがとうございます。」

そう伝えると、笑顔で、これまでと同じようにパスポートを渡すように指示された。そして、空港を出ると、ドライバーを紹介された。

「彼が今回のあなた方のドライバーのモタズです。」

見るからに気が良さそうな人物だ。今回は11日間、このモタズと毎日一緒に過ごすことになるので気が楽になった。しかし、問題は、相変わらず、モタズにも英語は通じないということだ。

✸

私たちがアンマン空港に到着したのは昼過ぎ。モタズの車で宿泊先のホテルに向かった。今回、アンマンでの私たちの宿泊先のホテルは「ザ・セント・レジス・アンマン」(The ST. REGIS Amman)だった。前回、ヨルダンを訪問した際には、アンマンにこのホテルはなかった。比較的に新しくできたホテルだ。チェックインを済ますと、モタズから17時に迎えに来ると伝えられた。しばし休憩をして、アンマンの町を案内してくれるということだった。

6月のアンマンは、17時でも昼間のように明るい。町に出ると、あちらこちらにフセイン皇太子の写真が飾られていた。皇太子は6月1日にご結婚されたばかりであり、町はお祝いムードに溢れていたのだ。

（何と不躾なことをしてしまったものか…。）

こんな大変な時期を選んで、国王陛下にヨルダン訪問をお願いしたことを私は後悔した。今回、陛下から鍼灸の施術のリクエストがなかったのは、ご多忙過ぎたからに違いない。それにもかかわらずご招待くださったことに恐縮する。

モタズの車でダウンタウンに向かうと、私たちは、まず銀行で両替をした。ヨルダンでは、ホテルやレストランをはじめとしたサービスが全てチップ制なので、現金を持っていなければならない。ヨルダンの通貨は「ディナール」。1ディナールは約200円である（2023年現在）。

私たちは、しばらくアンマンのダウンタウンを散策した。ひとつ気が付いたことは、以前には見かけなかったペットショップが増えたことだ。生活水準が向上したことで、ペット、特に猫を飼う人が増えたという。

ダウンタウンをひと回りすると、私は、モタズにTJM（タージモール）に連れていってくれるよう頼んだ。TJMとはアンマンの中心街にあるショッピングモールだ。11年前にはじめてヨルダンを訪れた際、当時はまだ発展途上国のカテゴライズだったヨルダンに、このようにモダンで大きなショッピングモールが存在していたことに驚いた。そして書籍、アクセサリー、スパイスなど、色々なものを購入した。それを思い出して、また、買い物に行きたいと考えたのだ。しかし、久々に訪れたＴＪＭは少々残念な状況になっていた。

コロナの影響か、閉店してしまった店舗が多く、書店もなくなっていた。コロナは、やはり世界各地に暗い影を落としていたのだ。

✸

アンマン市街での散策とショッピングを終えた私たちが、セント・レジスに戻ったのは19時くらいだった。私たちは、ホテル内のステーキハウスのカウンター席で、ヨルダンのローカルワインを飲みながら食事を楽しんだ。ヨルダンの肉はやはり美味い。

「日本人ですよね？」

若いバーテンダーにそう尋ねられた。

「そうだよ。」

chapter 6
三度のヨルダン

「特製のカクテルを召し上がってみませんか？　日本のあるモノを使っています。」

「興味深いね。お願いするよ。」

そう言って、特製カクテルを注文した。

「美味しいねぇ。あっ！　これはワサビだ。」

特製カクテルには、隠し味的に少量のワサビが使われていた。

「日本の食材は、ヨルダンでは人気です。特に和牛やワサビなど。新しいカクテルを考案したいと考えているので、何かお薦めの材料などがあればアドバイスをお願いします。」

「了解。緑茶なんかいいかもね。何か思いついたら連絡するよ。名刺はある？」

「はい。こちらが私の名刺です。」

ヨルダン人は、総じてこのようにフレンドリーで英語も通じる。また、日本人に対して好意的な人が多いので、たいていは、どこへ行っても会話がはずむし友達もできやすい。

私はよくお酒を飲むのだが、妻はあまり飲まないので、食事を済ますと、私は1人でホテルのバーに行った。ここでもまた陽気なバーテンダーに出会って、特製カクテルを薦められる。「スパイシーブラディーマリー」というカクテルだ。

（せっかくだから、頼んでみるか。）

「ウサマと申します。よろしくお願いします。ブラディーマリーですね？」

「タケシって言うんだ。よろしくね。」

見るからに豪華な特製ブラディーマリーがカウンターに置かれた。ウォッカをベースとしたブラディーマリーは心地よく回ってくる。

「ジャパニーズウィスキーは素晴らしいですよね。うちはジャパニーズウィスキーも揃えていますよ。召し上がりますか？」

ウサマが、さも自慢げに言う。見ると、サントリーの「白州」はじめとした数種類のジャパニーズウィスキーが棚に並べられていた。日本は、バーテンダーの世界でも「ブランド」なのだ。

「遠慮しておくよ。ジャパニーズウィスキーは日本で飲めるからね。」

そう伝えると、ウサマが苦笑した。


しばらくカクテルを楽しんでいると、西洋人の一人客がバーに入ってきて、私から一席空けたカウンターの並びの席に座り、ウサマと親しそうに話しだした。

（常連さんかな？）

chapter 6
三度のヨルダン

「失礼。こちらにご宿泊ですか？」

そう話しかけると、そうだと答えた。

「どちらから？」

「アメリカからです。」

「お仕事で？」

「ヨルダン政府からの招聘で、軍事顧問として着任したところです。あなたは？」

「日本から旅行で妻と2人で来て、こちらに滞在しています。」

ウサマと3人でしばらく話がはずんだが、ブラディーマリーと追加で注文したウィスキーが回ってきたので、部屋に戻って寝ることにした。

「ありがとう。お会いできて楽しかった。国際的な夜でしたね。おやすみなさい。」

3度目のヨルダンは、初日から色々な出会いがあった。やはり、ヨルダンは楽しい。

✸

６月11日——朝起きてＰＣを開くと、地元の麻布十番のクリーニング店の女性から連絡が入っていた。

「facebook で見たんだけど、北川さん、今、アンマンにいるの？ あたしの友達がアンマン在住なんだよね。調子悪くて鍼して欲しかったのに、北川さん、東京にいなくてヨルダンにいるとは。」

「22日までヨルダンにいるから、よかったら友達を紹介してよ。」

このような経緯で、後日、私はヨルダン人と結婚してアンマンで15年間暮らしているという吉井ひとみさんという日本人女性とお会いすることになった。

麻布（アザブ）つながりからアラブつながり。世界は意外に狭い。

この日のスケジュールは、「戦車博物館」（The Royal Tank Museum）の見学から始まった。

この博物館は、アンマンにある国立博物館で、２万平方メートルの敷地内に世界各国から集められた１５０両以上の戦車を展示する中東初の戦車専門博物館である。

（戦車が１５０両？ 世界中から⁇ しかも本物でしょ？？？）

この戦車博物館は、アブドッラー２世国王陛下の発想に基づいて設立された。その目的は、世界紛争の影を抱えた現代ヨルダンの歴史において、ヨルダン軍の戦車や車両が果たした役割について、国内外に理解を深めてもらうというもの。コレクション、教育サービス、技術応用において、地域および世界をリードする戦車博物館として、ヨルダン軍事史のデータバンクになることを目指すという。

✸

戦車博物館では、過去1世紀において戦車戦の英雄たちがどのように登場し、戦車でどのように戦ったのかが示されている。ほか、世界各国から集められ、展示されている戦車の中には、日本の戦車もあった。静岡県の陸上自衛隊滝ヶ原駐屯地に展示されていた「61(ロクイチ)式戦車」だ。

61式戦車は1955(昭和30)年に開発が始められ、1961(昭和36)年に採用された戦後初の国産戦車で、2000(平成12)年には全車が退役している。

(ロクイチ君、君も国王陛下にご招待いただいて日本から来たんだね。1961年に誕生したからロクイチ君なんだね。僕と同じ歳だ。)

戦車博物館の内観

それにしても、世界各地から１５０両もの戦車を集めて博物館を作ろうなどという大胆な発想を持ち、また、それを実現してしまえるのは、世界中でも、アブドッラー2世国王陛下くらいであろう。

chapter 6
三度のヨルダン

✸

6月13日――。

ヨルダンには、歴史的な遺跡や名所がいくつもある。私たちは、キリスト洗礼の地、アジュルン城、ジェラスなどの名所を観光しながら、アンマン周辺で数日過ごした後、死海に移動した。実は、今回も死海に行くことをとても楽しみにしていた。死海は、身も心も芯からくつろぐことができる別世界だ。俗世界のことも全て忘れることができ、人生をリセットすることができる。新しい自分に生まれ変われるのだ。

私たちは昼過ぎに宿泊先の「ケンピンスキーホテル・イシュタール・デッドシー」(Kempenski Hotel, Ishtar Dead Sea) に到着した。これまでと同じとても懐かしいホテルで、3回目の滞在となる。

この日と翌日は、このホテルと死海で自由行動という予定だった。昼過ぎにホテルに到着して、館内のイタリアンレストランで昼食を摂る。妻は早速死海で浮遊したいと言ったが、私は、ワインを飲んで部屋でひと寝入りしたいと思った。この気候の中、昼間からテラス席で飲むヨルダンのローカルワインは格別だ。

ほろ酔い気分で部屋に戻ると、王宮府から支給された携帯電話が鳴った。

「明日の午前中、急遽、国王陛下とミーティングが入りましたので、アンマンにいらしてください。10時に迎えの車を送りますのでご準備をお願いします。」

受話器からは、王宮府の職員の声。

「はい、了解しました。」

そう応えたものの、いささか面食らった。これまで国王陛下に鍼灸の施術を行ってはきたが、「ミーティング」というのははじめてのことで、全く想定外だったからだ。万が一の急なご要望に備え、白衣や鍼灸の針は用意してきてはいたが……。

（一体、何のミーティングなのだろう？　どのような服装で参上すれば良いのだろう？　白衣以外は普段着しか持っていないけど……。）

こんなことを考えながら、珍しく、少し緊張した。
(とにかく、ひと寝入りすることにしよう。)

chapter 6
三度のヨルダン

6月14日——午前中から死海でプカプカと浮いているはずだったが、昨日の王宮府からの連絡で状況は一変した。カジュアルではあるがジャケットを1枚だけ持ってきていたので、それを着用してモタズの車に乗り込み、アンマンにある国王陛下の「プライベートオフィス」と呼ばれる場所を目指す。

到着して通された部屋でしばらく待機していると、職員に呼び出されて別の部屋に通された。するど、そこには軍服姿の国王陛下がいらした。

「おはようございます。この度は本当にありがとうございます。妻もとても喜んでおります。」

「おはようございます。こんな格好で失礼しますね。」

そう陛下がおっしゃられた。軍服のことだ。

「それは、私が陛下に申し上げなければならないことでございます。このような服装で大変失礼いたします。」

「いえいえ。書籍の方はいかがですか？　何か必要なことがあれば言ってくださいね。」

本書のことだ。当然のことながら、本書の執筆については、国王陛下と王宮府に事前にご相談している。

「ありがとうございます。よろしくお願いいたします。王宮府のメディア担当の方々と緻密に連絡を取り合いながら進めさせていただく所存です。」

そう申し上げると、陛下が白い箱を手に取って、こうおっしゃった。

「これまでのお礼の印として、あなたにささやかなプレゼントを用意しました。」

陛下がご自身で箱を開けられる。私は自分の目を疑った。箱の中に、立派な勲章が入っていたのだ。

当たり前のことだが、自分の人生において、まさか勲章を授かることがあろうなどとは思ってもみなかった。しかも、「国王陛下」と呼ばれる海外の一国の元首からの叙勲だ。私は、生まれてはじめて「放心状態」というものを経験した。今、目の前で突然起きていることが理解できていないのだ。不意を突かれてストレートパンチを受けたような感覚である。

上段：勲章を授かる著者
下段左：ヨルダン・ハシェミット王国の国章／下段右：いただいた勲章

「記念に一緒に写真を撮りましょう。」

陛下がそうおっしゃられると、待機していたカメラマンがシャッターを切り始めた。国王陛下が民間人と並んで写真を撮影することなどあり得ない。放心状態はなおも続く。後に王宮府から頂戴した写真には、放心状態の自分が写っていた。

「陛下、私には身に余ることでございます。私は勲章を授かるようなことは何ひとつもしてきておりません。」

「色々としてくれたではないですか。今回も機会があれば鍼の施術をお願いします。」

「もちろんでございます。鍼の用意だけはしてきております。陛下、本当にありがとうございます。」

そう申し上げると、職員に促されて部屋を出た。相変わらず放心状態だ。頭の中が真っ白なままモタズの車に乗った。「ミーティング」というのは、国王陛下からのサプライズの「叙勲」だったのである。

（もう、何がどうなっているのかわからない……死海に戻ったら、ワインを飲んで浮くしかない。）

chapter 6
三度のヨルダン

✸

「国王陛下にお会いしたら…信じられないことが起きた。」

死海のホテルに戻るや、妻に受勲の報告をして勲章を見せる。

「すごいじゃない！」

「陛下のサプライズだよ。すごいなんてものじゃない。まったく、心にくいことをなさるお方だ。」

「本当だね。」

妻は、死海で浮遊して昼食を済ませたという。私はアンマンに行っていたので、昼食を済ませていなかった。

「お酒を飲んできてもいいかな？　さっきから放心状態でさ。」

「祝杯を挙げなくちゃね。」

私たちはホテルのイタリアンレストランに行き、いつものヨルダンのローカルワイン「セント・ジョージ」を開けた。この状態で飲み過ぎて浮遊すると危険なので、３杯ほど飲んで、ボトルは夜までレストランで預かってもらうことにする。

「ごめんなさい。夜にまた来るから、それまでこのボトルを預かってもらえますか?」

「もちろんです。お名前と部屋番号をお伺いします。」

「死海で浮いてくるよ。地上にいても浮き足立っちゃってるんだよ。」

ボトルを預けた私は妻にそう言って、部屋で水着に着替えて死海へ向かった。もちろん、浮遊するために。

全身を脱力して水面に身をまかせていると、混乱していた脳みそがリセットされていく。

皮膚や粘膜に対する過剰な刺激を避けるため、死海では10分以上は浮遊しないよう指導されている。そこで、私は7~8分ほど浮遊してシャワーを浴び、岸辺に備えられているサマーベッドに横たわった。完全にリラックスして、もう何も考えられなくなる。

しばらく休んでもう一度浮遊し、シャワーを浴びて部屋に戻った。そして、何とも心地よい疲労感でベッドに横たわると、完全に意識を失った。

✸

目を醒ますと、日はまだ高かった。頭は完全にリセットされて、放心状態は歓喜と興奮に変わっていく。そして、ようやく「受勲」という「人生最大の経験」を、現実の出来事として受け入れることができた。すると、色々なことが頭の中でぐるぐると回り始める。

(国王陛下から勲章をいただきっぱなしというわけにはいかない。ただ手放しで喜んでいる場合ではないぞ……。この受勲には、必ず何かの意味と意義がある。そして、私にはヨルダンに関する何らかの使命がある。)

私は日本人であることに強い誇りを持っているし、自国に対する愛国心も強い。しかし一方では、国王陛下に11年間お仕えしてきたこと、比較的長期間にわたってヨルダンを3度も訪問したこと、陛下からヨルダンの官給品と同じ時計を授かったこと、そして受勲したことで、ヨルダンは自分の中ですっかりホームとなっていた。

これからは、単に国王陛下のかかりつけの鍼灸師にとどまることなく、日本の民間人として、ヨルダンと日本の架け橋になる——それが自分の使命なのだろう、と、この時に自覚した。そう考えると、まずはヨルダンのポジティブな現実を日本に広めていくことが第一歩だろう。

私自身がそうだったように、多くの日本人がヨルダンについてほとんど何も知らない。ともすれば、他の中東の紛争地域のように「危険」というイメージがつきまとってしまう。治安が良く安全で、英語が通じて、個性的なリゾートや観光地があり、お酒も飲める「楽園」という認識はおおよそないだろう。

そうであるならば、本書の執筆にも、より以上の意義と意味が生まれてくる。

★

6月15日――私たちは、死海のホテルをチェックアウトして、ペトラへ向かった。

午後2時頃にペトラに着くと、気温は40度近かった。日差しも強く、外へ出るのは危険なので、夕方までホテルの部屋で休むことにする。この日から、ペトラ、ワディ・ラム、アカバを観光して、19日にアカバ・フセイン国王国際空港から飛行機でアンマンへ飛ぶ予定になっていた。無理は禁物だ。

翌日の20日、最終日は終日フリータイム。日付が変わって翌日の夜中2時の便でドーハに向かう予定となっていた。ところが、19日の午後にアンマンのセント・レジスにチェックインをすると、携帯電話が鳴った。王宮府の職員からだ。

chapter 6

三度のヨルダン

「明日は、奥様とご一緒にラガダンパレスとその他数カ所にご案内いたします。」

（ラガダンパレスって何だろう……？　はじめて聞く名前だけれど…。）

恒例となったサプライズに慣れないままでいるところに、アンマン在住の日本人女性・吉井ひとみさんからも着信があった。ヨルダン人と結婚してアンマンに15年間住んでいる吉井さんと、私たちは今夜、ホテルのレストランで一緒に食事をする約束をしていたのだ。ヨルダンの色々な話を伺いたい。

✸

「この10年間のヨルダンの変化は、主婦として住んでいても驚くほどです。アンマンに来た頃は、まだ発展途上国の部類でしたが、今は、もはや途上国ではありません。生活水準が向上したことで、ペットを飼う人が増えました。特に猫を飼う人が多いです。」

ワインが進み、話もはずむ。なるほど、確かにダウンタウンではペットショップが目についた。

吉井さんは男の子3人と女の子1人の母親で、長男は日本の企業に勤めていて、長女はマレーシアの大学で勉強している。三男はまだ15歳で、次男は「タウジーヒ」と呼ばれる高校の卒業試験をもうすぐ受けるのだという。この卒業試験がなかなか難しいそうだ。

（海外在住のお母さんは大変だ。）

そんなことを考えながら、アンマンに日本人の知人ができたことを素直に喜ぶ。

「また色々と教えてください。今後ともよろしくお願いします。」

「時々、日本に帰っているので、今度は日本でお会いしましょう。」

このような会話で、その日は別れたのだが、後日、この出会いが意外な展開へとつながることになった。

✸

王宮府の職員から伝えられた「ラガダンパレス」という名前は初耳だったので、私はそれが観光地か何かであろうと考えていたのだが、それは大きな間違いだった。

「ラガダンパレス」、すなわち「ラガダン宮殿」とは、１９２８年にアブドッラー1世とそのご家族の住居として建てられた宮殿で、現在は迎賓館や国王陛下の執務室として使われている

chapter
6
三度のヨルダン

場所だ。1999年6月9日、アブドッラー2世国王の戴冠式が行われたのも、このラガダン宮殿で、国王陛下と王族や海外の国家元首との重要な会議や式典のために使用される玉座もある。つまり、国賓でもない限り、ラガダン宮殿には足を踏み入れることはできない。またまた国王陛下のビッグサプライズだ。

それにしても、観光地か何かと勝手に勘違いして、普段着で来てしまったのは大失敗だった（もともと普段着しか持ってこなかったのだが）。妻に至ってはダメージ仕様のジーンズ着用である。

「はじめまして。昨日、突然伝えられて、行き先もわからなかったものですから、このような不適切で失礼な服装で来てしまいました。」

出迎えてくださった女性に、そんな言い訳をする。

「いえいえ、お二人とも素敵ですよ。」

和ませようとする心遣いが嬉しい。

最初に案内していただいたのは図書室だった。ヨルダン王国に関するおびただしい数の書籍が収蔵されていた。図書室の説明を聞いた後、奥のテーブルに座るように促される。テーブルの上には、英語で書かれたヨルダンに関する書籍が多数並べられていた。

「こちらは全て国王陛下からのあなたへのプレゼントです。」

(えっ⁉)

これらが全て執筆中の本書の参考文献だとしたら、かなりのプレッシャーである。私の英語力では、一生かかっても読めないほどの数だ。陛下は、一体、私にどのような書籍を期待されているのであろうか? 同時に、日本に持ち帰ることができるのかどうか心配になった。実際に、持ちきれないほどの数だ。

その後、宮殿内とフセイン1世博物館などを見学させていただいた。「ラガダン」とは「最高の人生」を意味するといい、宮殿の1階はギャラリー付きの礼拝堂になっている。

宮殿のすぐ外には、高さ416フィート(約127メートル)のラガダン旗竿がある。私たちがアンマンの様々な場所から何度も眺めていた巨大なヨルダンの国旗だ。この旗は12マイル(約20キロメートル)離れたところから見ることができ、世界で最も高い旗竿の1つであるという。

ラガダンパレスを案内される著者たち

モタズの車でホテルに戻ると、私たちは帰りの荷造りに追われることになった。やはりというか、なんというか、書籍はどうしてもスーツケースに入らない。なんとか持参した折りたたみのバッグに詰めたのだが、これがスーツケースよりも重くなった。荷物の重量制限オーバーは間違いない。

結局、王宮府の職員に連絡をして事情を説明し、空港では職員のサポートを受けて荷物を預けられたのだが、書籍の総重量は30キログラムを超えていた。

✸

ドーハ経由で羽田空港に着いたのは、21日の午前0時近くだった。翌日、目が醒めて感じたのは、「昨日までヨルダンにいたのは現実だったのか？」ということ。けれども同時に、体は東京に戻ってきていながら、意識はいまだにヨルダンにあった。時空を超えているような不思議な感覚だ。頭の中も整理できていない。

（まずは原稿を書かなくては。）

もちろん、本書の原稿のことである。この日は、一日ゆっくりと過ごし、翌日から、日常業務（鍼灸の施術）の合間の時間は原稿を書くことに集中した。

日常生活に復帰してしばらくした頃、アンマンで出会った吉井ひとみさんからメッセージが来た。


こんばんは。

次男（17才）に鍼灸の話をしたら、意外なことに興味を持ちました。

とりあえずは大学を受けますが、大学以外の進路として考えているみたいです。

そこで、もしも鍼灸を勉強するなら、どこの学校が良いのか、Webサイトを教えていただけませんでしょうか？

お時間のある時で構いません。

よろしくお願いします。


高校の卒業試験を間近に控えている次男のナオト君が、日本に来て鍼灸の勉強をしたいというのだ。私は、ナオト君の日本語のレベルについて尋ねたのだが、会話と漢字の読み書きには問題がないという。そこで、自分が講師を務めているいくつかの鍼灸の専門学校を勧めたところ、しばらくしてから、またメッセージが来た。

実は、昨日まで卒業試験だったので、試験に集中するように、鍼灸の話はしていませんでしたが、試験が終わった後、あらためて聞いてみたら、まだ、やってみたいと言いました。

さらに数日後のメッセージでは、ナオト君は本気であるということだった。

ナオトの卒業式が終わり、本格的に進路について話し合った結果、鍼灸の専門学校へ行く、と本人が言いました。
教えていただいた専門学校２校のサイトを見て、どちらにするか本人が考えています。
取り急ぎの報告でした。

アンマンで私が吉井さんと出会ったことが、ヨルダン育ちのナオト君の高校卒業後の進路に影響を与える結果となったのである。吉井さんは9月に親子で日本に来て、私が勧めた鍼灸の専門学校の学校見学会に参加するという。まさしくトントン拍子のスピード展開だ。国王陛下が6月に私をヨルダンにご招待くださらなかったら、私がアンマンでナオト君の母親である吉井ひとみさんと出会わなかったら、ナオト君が私の専門である鍼灸を志すこともなかった可能性は高い。「ご縁」とは、つくづく不思議なものである。

このご縁は、国王陛下が結んでくださったものである。空間も世代も超えて、ご縁はつながっていく。やはり、世界は奇跡に満ちている。

おわりに

We love JORDAN

久々にヨルダンを訪問することが決まったこと。そして、本書の執筆が決まったことで、私は頻繁にヨルダンのことを考えるようになった。「意識」とは不思議なもので、ヨルダンのことを意識するようになると、ヨルダンにまつわる様々な事象が起こるようになる。30年来の旧友の女性2名と久々に再会したので、近況としてヨルダンの話をしたところ、2人とも、以前にヨルダンに深く関わっていた経験があるという事実をはじめて知った。

ひとりは「ユーラシア旅行社」という中東に力を入れている旅行会社に就職をして、中東の旅行に関わる仕事をしていたという。もうひとりは以前にYMCAの職員をしており、ヨルダンのYMCAとの交流の仕事に携わっていたというのだ。久々の再会はヨルダンの話題に終始した。

後日、ユーラシア旅行社のヨルダンの担当者を紹介してもらった。本書を読んでくださった方がヨルダンに興味を持たれ、ヨルダンを旅行したいと希望された際に、中東方面に詳しくお薦めのできる旅行社とつながっていた方が便利だろうと考えたからである。

さらに私は、同時に、ヨルダンに関わっているか、関わった経験のある日本人を発掘してみたい気持ちになった。同時に、日本に関わっているか、関わった経験のあるヨルダン人も発掘してみたいと思った。そこで色々と思案した結果、facebook上にヨルダンをテーマとしたグループを作ることにした。

その結果、現在までに100名を超える関係者が、このグループに参加されている。グループの名称は「We love JORDAN」。実は、ヨルダンのローカルワインであるセント・ジョージの輸入販売を手がける遠藤晃敬氏とも、このグループを通じて知り合い、ヨルダンのワインが日本で飲めるということをはじめて知った。そして、このご縁をきっかけとして、麻布十番にある友人のダイニングバーで、セント・ジョージを取り扱ってもらうことにもなった。

同じくこのグループに参加されているアンマン在住の日本女性・吉井ひとみ氏のご子息が、来日して鍼灸の勉強をしたいと希望しているという連絡もあった。共通した関心事を持つ人々が集まることで、様々な化学反応が起こるようになる。本書をご一読いただいてヨルダンに関心をお持ちになられた方は、ぜひ、この「We love JORDAN」にご参加いただければ幸甚である。

日本鍼灸と国王陛下と私

鍼灸は、今、世界各地で注目されている。

世界における鍼灸の主流は、現在のところは中国式の針灸である。日本の鍼灸は、6世紀に中国から伝来した針灸が、その後の長い時間の中で独自の発展を遂げたものである。その過程では、様々な技法や道具が創案されている。とはいえ、中国の針灸も日本の鍼灸も、その基礎理論や鍼と灸を用いて治療するという「本質」に相違はない。

昨今では、日本人が行う丁寧で繊細な鍼灸の人気が高まってきており、鍼灸の施術に使用される日本製の針の品質の高さも認められている。日本製の針は細くて切れ味が鋭いため、刺される時の痛みが少ないことも大きな理由だろう。

使い捨ての針を発明したのも日本のメーカーだ。感染防止の立場から、使い捨ての針は日本から世界に普及した。

✸

日本の国内にいると、なかなか実感する機会がないのだが、海外に出ると「日本」と「日本人」というブランド力の強さがわかる。

戦後、日本が電気製品や自動車などのモノ作りの分野で、実績を積み重ねてきた成果であろう。"Japanese""made in Japan""from Japan"など、"Japan""Japanese"とつくだけで、何でも「安心」で「安全」で、信頼できると考えられている。そのせいだろう、日本の鍼灸に対する評価や注目も高まり始めている。

私がアジア最高峰のヘルスリゾートに招聘された理由には、日本での実績と知名度、日常会話程度の英語が話せたこともあるだろうが、日本の鍼灸治療と美容鍼灸の専門家であったことが最も大きな理由であろう。

鍼灸師としての私の最も大きな実績は、現在のところ、鍼灸を美容目的に応用し、「美容鍼灸」

という新しい分野の鍼灸を確立したことだろう。従来は、鍼灸の利用目的と言えば、もっぱら特定の症状や疾患の治療か体のケア（メンテナンス）だったが、私は試行錯誤を重ね、顔面部の皮膚のアンチエイジングを目的とした美容鍼のメソッドを創案した。

だから私は「美容鍼灸の第一人者」、英語では、"The father of facial acupuncture"（美顔鍼の父）などと呼ばれ、コロナ禍以前には世界各地で技術指導を行っていた。また、世界各地から技術指導を目的として訪れる専門家も少なくなかった。このような経緯から、私には「美容鍼灸の専門家」のイメージがつきまとうようになり、治療家としての影は薄れてしまった。

けれども実際には、日本鍼灸を専門とする「治療家」として、アブドッラー2世国王陛下をはじめとする世界の要人の方々に対して、特定の疾患や症状の治療とお体のケアをさせていただいてきたのである。

✷

日本の鍼灸治療と美容鍼灸は、世界的に人気の高いサービスとなり、現在では、日本人の鍼灸師が海外のリゾート地に常駐するまでになった。日本の鍼灸は、最高峰のヘルスリゾートのサービスとして、世界から認められたということだ。

このように現在、日本人が行う丁寧で繊細な美容鍼灸は、世界的に人気が高まっている。だから私も、コロナ禍以前には技術指導の講師としても世界各地を飛び回っていた。そのため、ある女優さんから「つかまらないかかりつけ」といういささか不名誉な称号をいただいたこともある。

★

3度目のヨルダン訪問では、吉井ひとみさんとの出会いをきっかけとして、ヨルダン育ちのご子息・ナオト君が、日本鍼灸の専門家を目指すことになった。ヨルダンにおいて国王陛下から愛されている日本鍼灸は、ヨルダンと強い「ご縁」があるのかもしれない。

ナオト君は、日本で鍼灸を学び、ヨルダンで日本鍼灸を実践したいという「夢」を持っている。鍼灸治療の最大の利点のひとつは、低コストで大規模な装置などが不要であるということである。ヨルダンには数多くの難民やテロリズムと向き合う兵士たちが存在するため、日本鍼灸が寄与または貢献できる場は少なくない。

日本では、鍼灸は国家資格である。そのため、海外で生まれ育った若者が試験に合格するのは決して容易なことではない。けれどもナオト君には必ずその夢を実現して欲しいし、私もできる限りのサポートをしていきたいと考えている。

また将来、ナオト君が日本鍼灸の専門家としてヨルダンで働くためには、彼の地において、日本の鍼灸の国家資格が認められることが必要となる。私は、その働きかけを行っていきたいと考えている。日本人の鍼灸師が、11年間にわたってアブドッラー2世国王陛下にお仕えし、恐れ多くも勲章まで授かったのである。可能性は決してゼロではないはずだ。

そしてこのことは、ライフワークとして取り組んでいく価値がある。ナオト君との出会いも偶然ではなかったのだ。ヨルダン・ハシェミット王国において、日本鍼灸を普及させていくことが、私たちの使命であるに違いない。

北川 毅（きたがわ たけし）
YOJO SPA（養生スパ）オーナー、日本中医美容研究会会長。健美会会長。
東京を拠点として世界各地で臨床、教育活動を行う国際派日本人鍼灸師。美容鍼灸の第一人者としても知られている。鍼灸、美容、スパに関する教育、講演、執筆、翻訳、研究まで、幅広く活躍中。
YOJO SPA ビューティーテクニシャン。著書・監修書多数。

BOOK STAFF
■ カバーデザイン　山口喜秀（Q.design）
■ デザイン　別府 拓、奥平菜月（Q.design）
■ DTP　ハタ・メディア工房株式会社
■ 営業　峯尾良久、長谷川みを、出口圭美（G.B.）
■ 校正　東京出版サービスセンター
■画像協力　ヨルダン・ハシェミット王国
平凡社地図出版 / ROOTS 製作委員会 / アフロ

国王陛下の鍼灸師

初版発行　2024 年 1 月30 日

著者　北川 毅

編集発行人　坂尾昌昭
発行所　株式会社 G.B.
〒 102-0072 東京都千代田区飯田橋4-1-5
電話　03-3221-8013（営業・編集）
FAX　03-3221-8814（ご注文）
URL　https://www.gbnet.co.jp
印刷所　株式会社シナノパブリッシングプレス

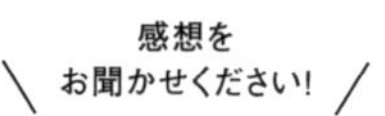

ISBN 978-4-910428-39-0